# 科學史上最有梗的20堂化學課 上

40部線上影片  讓你秒懂化學

姚荏富・胡妙芬 ——————— 文

陳彥伶 ————————— 圖

LIS科學教材研發團隊 —— 總監修

鄭志鵬（臺北市立龍山國中理化教師）— 審訂

 作者序

# 幫助每個孩子培養科學素養與解決問題的能力

　　你可能沒聽過「LIS」，卻很可能曾經在學校、課後班或其他地方，看過老師分享我們所做的化學史及化學課程影片。

　　你可能曾經好奇過LIS是誰，怎麼能把枯燥的科學講得這麼生動有趣？其實LIS是一個非營利組織，由許許多多對教育有熱情的年輕人所組成。我們的成員大都不到三十歲，跟中學生的年齡距離「相對沒那麼遙遠」，所以很了解孩子們在想什麼、需要什麼、在學習上會在哪裡卡關，又是多麼希望艱深的科學知識能變得更加平易近人。

### 科學家解決問題的思維與方法

　　LIS的宗旨是「Learning In Science」。「讓每一個孩子，擁有實踐夢想的勇氣和能力！」則是我們對教育的願景。我們相信學習本質其實是STEAM或是PISA在談的「好奇心」、「批判性思考」和「解決問題能力」，這才是每一個人一輩子都用得到的能力。因此，我們從科學開始，爬梳科學史的脈絡，將科學家解決問題的思維、方法及過程，開發成獨一無二的創新教材。

　　我們設計的教材包含影片製作與教案開發。在影片特色方面，會以動畫和戲劇的方式，把科學變得更圖像化且富有故事，所以大家在觀看時會很容易進入我們設定的情境，進而引起學習動機。而我們設計的教案，則會將影片中科學家發現及產出知識的情境還原給孩子，希望能讓他們在科學史中探究、冒險，最後培養出科學能力。

　　我們在知識內容的製作上花了相當多的功夫，這是因為一個理論的出現或一個研究的發現，並不完全是簡單的突發事件，必須找到這些發現的前因後果，才能還原當時科學家所遇到的問題。而在研究與討論史料的過程中，我們經常討論到許多有趣的

歷史背景或是科學家的奇人軼事，例如，同樣的一個發現、一個成就，或是一個大事件會出現，通常是由許多不同的因素累積而成的，它包括了時代背景、前人累積的知識、各國在科學發展上的角力、甚至是研究儀器的水平等等，都是成就這些故事的重要條件。

對我們來說學習的本質就是如此：試著去深掘問題、試著去找到屬於自己的答案，最重要的是保持對事物的好奇心。

只是，所有的歷史事件都不是短短幾分鐘就可以說完的，影片最多只能將最精華的部分呈現給大家，這也是我們覺得蠻可惜的地方。

## 書是影片的延伸

也因為這個「想讓大家讀到完整科學發展」的初衷，我們決定與親子天下合作出書。書中的關鍵人物——LIS老師，代表我們這個組織所有人的智慧結晶，並透過「嚴八」和「魯芙」這兩個跟影片有扣連的角色（魯富對不起，讓你變成女生了！）代替正在跟化學奮鬥的廣大學生——也就現在正在看這套書的你們發聲及提問。

在長達一年半醞釀出書的過程中，十分感謝兒童科普作家胡妙芬提供了她寶貴的寫作經驗，讓我們的內容變得更加生動有趣，還要感謝親子天下兒童產品中心副總監林欣靜為這本書花了非常多的心思，只為做出夠棒的內容呈現給大家。

最後我們想跟大家說，這是一套完全不同於坊間科普童書的作品，結合**科學史**、**科學家人物傳記**、**科學理論演進歷程**等多元面向，還特別設計了能讓大家天馬行空發問的「快問快答」單元。在閱讀時，你可以把它拿來配合我們的影片當作補充資訊，也可以把它視為科普版的「科學通史」，甚至是單純把它當作有趣的科學故事書來讀……這都沒有問題，因為我們相信這套書的內容，結合了我們耕耘多年的知識結晶，一定能讓大家得到意想不到的收穫。

**LIS科學教材研發團隊**

# 推薦序 1

# 創造學習科學的嶄新途徑

　　第一次聽到嚴天浩的名字,是我在臺大科學教育中心(CASE)從事科學傳播時,據聞有一位年輕學生為了改變愈趨下沉的教育,興起要翻轉教室、製作新教材教法的初心,挽回課堂中眾多無奈學子的興趣與注意力,讓他們能夠樂於學習。隨後,就聽說他在推動「表演科學」;不久後,更號召同好成立了「LIS科學教材研發團隊」的非營利組織,單單靠著募款,用戲劇表演和動畫的方式向中小學生講解化學和化學史,還把教學內容錄製成影片,上架Youtube網站,分享給學生們免費觀賞自學。

### 科教、科普、科傳三合一

　　LIS的作法正符合我在推動的科教、科普、科學傳播三合一的工作模式。「科學傳播」(Science　Communication)顧名思義就是將科學內容傳播給普羅大眾,可是很少人會想到把傳播直接用在教育上。傳播是媒體的習慣做法,卻不是一般教育人士的專長,所以也難為保守的教育界所用。科教、科普、科傳三合一是一種跨領域的手段,關鍵在把專業的內容轉化,製作成大眾容易且樂於接受的閱聽形式,換句話說必須創造市場。傳播通常會主動的設定明確的受眾對象,意即市場要有區別才利於行銷。此外,還要能夠穩定的經營,並創造能夠永續的「商業模式」。上述這些都是知易行難的道理,LIS團隊多是剛踏出校門的年輕人,卻難能可貴以勇闖難關的熱心、信心及決心把教育產品推進網路、學校,如今,更進一步要出版發行書籍產品。

　　在科教的環境中,教師上課準備製作教材是例行的工作。但是穿上戲裝模擬科學在歷史上發生的故事,包括人、事、時、地以及他們的審問、慎思、明辨、爭論、論

證、發現問題、解決問題等過程，並選擇精要的部分表演給觀眾看，就是費時費事的教材教法。而這一切都是為了學生有效學習而生的非常手段，絕不是尋常老師們在課堂會做或能做到的。

除此之外，這群年輕人還偕同了知名的兒童科普作家，一同協力將既有的傳播內容和教材教法，延伸轉製成《科學史上最有梗的20堂化學課》套書。這套書從古希臘時代自然哲思談起，一路介紹煉金術的影響、十七至十九世紀化學發展歷程、十九至二十世紀電學在化學的應用，以及人類如何找出原子的內部結構等過程，書中介紹了數十位科學家的傳記軼事，並以他們科學知識的產出，編寫出了最精華的二十課內容。

書中還特別設計了LIS老師與嚴八、魯芙兩個學生的角色，透過大量的對話來討論知識，文體的撰寫更充滿了故事性，每一章節都能連結「LIS影音頻道」，更有結合生活化學的「快問快答」專欄，提供趣味知識來增加全書的可讀性。這些內容都使得此套書得以與LIS既有的化學教材完美銜接，因為畢竟閱讀仍然是從書本學習知識的基本元素。

**科學思維的多樣化傳播**

科學思維其實不是平常一般的思考方式，LIS的年輕團隊，熱血又聰明的運用了媒體傳播的方式，創造了新的教材教法，提供了學科學的嶄新途徑。這卻不是一個取巧的方式，他們放在內容中的科學史素材必然做了極多的深度閱讀和考據。讀者們閱讀這套書如果覺得其中的故事興味盎然，好奇作者是如何知道這麼多典故，就必須佩服LIS在演戲之外所投入的學術功夫是絕不馬虎。真正的學習是有為者當若是，作者若能把參考資料整理完備，也就滿足了科普書延伸學習的條件。

年輕人就是要懷著志氣和勇氣創造自己的未來。

陳竹亭

臺灣大學化學系名譽教授、遠哲科學教育基金會董事長

# 推薦序2

# 科學一點都不理所當然

小時候很喜歡看一些科學家的傳記，像是拉瓦節、法拉第、門得列夫等偉大科學家的故事。每次閱讀時，都會覺得這些科學家真是厲害，總是可以輕易的找出許多嶄新的科學定理，讓科學往前一大步。他們好像超級英雄一樣，彷彿有著別人都沒有的超能力，看到別人看不到的關鍵問題，做到別人做不到的關鍵實驗，解決別人都無法解決的難題。同時代的其他人，好像只能扮演配角協助主角完成大業，甚至是阻礙主角成功的反派角色。

後來長大了，做了科學教師，身為菜鳥老師常常覺得許多科學的發現想法都非常的直覺，就像小時候看的科學家傳記那樣，許多的發現感覺都很順理成章；就如同我們當學生的時候，老師也總是直接告訴我們最後的公式，好像這世界運行的規則一如那些偉大科學家總是可以一眼看穿的那樣理所當然。但後來我慢慢發現，對學生來說這些發現與定理，似乎不是真的那麼理所當然。從他們提出的許多問題，也讓我發現對於相同的現象，其實有許多不同的方式可以解釋。我認為的理所當然也似乎並不總是那麼理所當然。

為了找課程設計的靈感，需要找尋更多科學史的資料作為素材，慢慢才瞭解到——原來要發現一個新的定理其實不是那麼容易的事情。要突破一個既定的觀念，找到反駁的證據與建立一個新的模型，往往需要如同偵探般的能力，綜合大量的想像力、創意、觀察力、執行力，才能將許多蛛絲馬跡拼湊成一個完整故事。這麼大量的工作又其實往往不是出自一個人之手，而是長期的、連續性的、迂迴輾轉的逐步承接前人的想法，逐漸建立起人類對於自然界的認識。

**描繪科學進展的真實樣貌**

　　幾年前為了設計自然探究課程，搜尋科學史的素材時偶然看到了LIS在youtube上的影片，一看之下驚為天人！不只是因為他們用了淺顯逗趣的方式來描述科學史，更是因為他們所描述的科學史，正是演出了科學進展更真實的樣貌。影片中常會看到一個科學家所在的時空中，人們是怎麼認知這世界的？這樣的認知到底產生了什麼矛盾之處？科學家又是怎麼抽絲剝繭建立新的概念。每一段影片結束時，常常不是以提供一個「答案」的方式呈現，而是以「問題」作為結束。所以說結束，其實永遠也沒有結束──正如同科學的進展不會有終點，那是一個連續的過程，不斷對自然提出新的問題的過程。

　　《科學史上最有梗的20堂化學課》這套書中，扣連了LIS最開始的成名作「自然系列──化學篇」一系列影片變成科學史讀本。這是科學教師的福音，也是中小學生的福音。書中呈現了化學篇中，從古希臘的泰勒斯開始到二十世紀人類找出原子內部結構為止。在一段段的科學故事中，可以看到拉瓦節扳倒了燃素說，建立了化學共通的溝通符號，但是在歸納整理元素的時候他卻把「光」和「熱」也列為了元素，也誤以為酸的本質是「氧」；道耳頓提出了原子論，讓我們對於物質的認識往前跨了一大步，但他認為「原子不可分割」，卻要等待將近百年後由湯姆森發現電子才跨出下一步。偉大的科學超級英雄也會犯錯，科學不能怕犯錯，才能一步步往前有所進展。

　　這一步一步的進展，都描述在書中，搭配在書裡面附上的連結QRcode，讓讀者可以連結文字和影片，將這上千年的歷史進展好好的讀一讀、看一看。趣味與荒誕的劇情裡面有硬底子的科學和歷史考據功夫，有科學本質和探究辯證的珍貴元素，絕對值得科學老師和愛好科學的學生一讀再讀！

**鄭志鵬**（小P老師）
臺北市立龍山國中理化老師

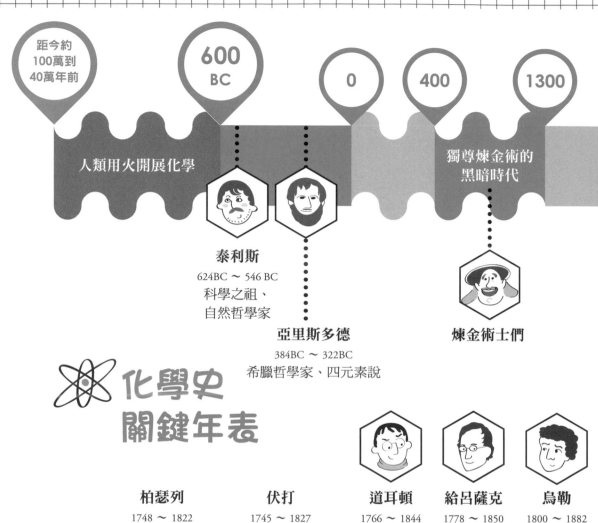

距今約
100萬到
40萬年前

**600 BC**

**0**

**400**

**1300**

人類用火開展化學

獨尊煉金術的
黑暗時代

**泰利斯**

624BC ～ 546 BC

科學之祖、
自然哲學家

**亞里斯多德**

384BC ～ 322BC

希臘哲學家、四元素說

**煉金術士們**

化學史
關鍵年表

**柏瑟列**

1748 ～ 1822

發現可逆反應

**伏打**

1745 ～ 1827

發明電池

**道耳頓**

1766 ～ 1844

原子說

**給呂薩克**

1778 ～ 1850

氣體化合
體積定律

**烏勒**

1800 ～ 1882

有機化學

**1800**

**戴維**

1778 ～ 1829

電解

**亞佛加厥**

1776 ～ 1856

分子說

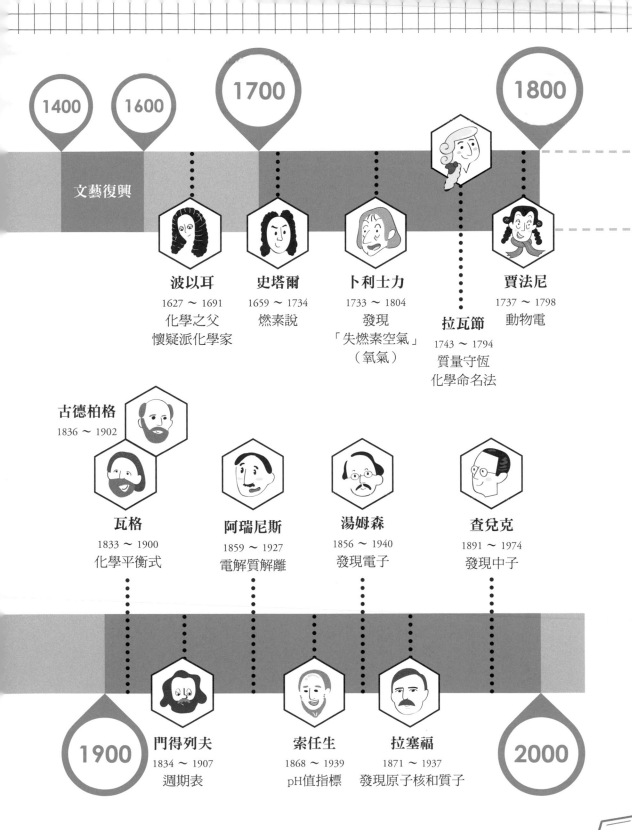

**1400**

**1600**

**1700**

**1800**

文藝復興

**波以耳**
1627 ～ 1691
化學之父
懷疑派化學家

**史塔爾**
1659 ～ 1734
燃素說

**卜利士力**
1733 ～ 1804
發現
「失燃素空氣」
（氧氣）

**拉瓦節**
1743 ～ 1794
質量守恆
化學命名法

**賈法尼**
1737 ～ 1798
動物電

**古德柏格**
1836 ～ 1902

**瓦格**
1833 ～ 1900
化學平衡式

**阿瑞尼斯**
1859 ～ 1927
電解質解離

**湯姆森**
1856 ～ 1940
發現電子

**查兒克**
1891 ～ 1974
發現中子

**1900**

**門得列夫**
1834 ～ 1907
週期表

**索任生**
1868 ～ 1939
pH值指標

**拉塞福**
1871 ～ 1937
發現原子核和質子

**2000**

9

# 目錄

# 本書特色

這是一本結合科學史、科學理論解析，以及科學家人物故事的超有趣科普書。

**1** 故事主文會告訴你重要的化學理論是怎麼出現及演進歷程。

**2** 人物專欄要帶你認識眾多科學家不為人知的祕辛。

**3** 「快問快答」單元專門回答你對化學的疑難雜症。

**4** 跟著「LIS影音頻道」掃瞄QR Code，就能看到延伸內容影片，學習更全面。

# 出場人物

| **魯芙** | **LIS老師** | **嚴八** |
|---|---|---|
| 雙魚座 | 天秤座 | 射手座 |
| 14歲 | 年齡不詳 | 14歲 |

凡事認真，愛笑又愛哭的中學女生。喜歡化學卻老是學不好，聽說科學史研究社來了很厲害的新老師，連忙拉著好友嚴八一起參加。

科學史研究社的社團老師。自認是浪漫的科青，最愛自己蓬鬆有型的鬍髮。喜歡化學和烹飪，最擅長用說故事的方式讓學生愛上科學。

滿臉雀斑的大男孩，討厭考試與教科書，經常在上課時偷看漫畫，很好奇竟有「聽故事就能學會化學」的社團，勉為其難跟著魯芙一起去。

# 沒有化學的漫長年代

## 米利都的泰利斯

「**如**果這個世界沒有化學……」，聽到這個假設，很多中學生應該會非常開心吧！恨不得自己也可以生活在那個沒有化學、也不用唸化學的時代！可是，現代人方便又舒適的日常生活，絕大部分都奠基在日新月異的科學進展上，化學更在其中扮演了舉足輕重的角色。

說到這裡，或許你會忍不住想問：「那麼，令人又愛又恨的化學，到底是從什麼時候冒出來的呢？」

其實，「化學」成為一門科學的時間很短，從十七世紀開始到現在，時間不過短短五百年左右。如果拿來跟人類的祖先「直立人」出現在地球上的兩百多萬年相比，就像一天24小時裡最後的21秒。

化學還沒有出現之前的23小時又39秒，又是什麼樣的世界呢？

是不用讀化學的世界！

也是很不方便的世界，相信我，你不會想去的。

## 火是化學的起源

在剛開始出現人類的一百多萬年裡，人類只能像生活在大自然裡的動物一樣，對環境變化「逆來順受」。他們的「逆來順受」並不是因為心甘情願或看破一切，而是因為遠古的原始人類，幾乎沒有改造自然的知識與能力，只能在野地遊盪，任憑風吹雨打，喝生水，並以野果果腹。如果幸運抓到小動物，就用手撕開連毛帶血一吞而下……聽起來很嚇人吧！

一直到人類懂得用「火」，才算是以化學手段改善生活條件的開始。

最早，人類應該是從雷擊、森林大火或火山爆發的機會取得火苗。他們不斷的往火裡添柴，想盡辦法維持火種，因為他們發現：用火烤過的野味特別香、有火燃燒的山洞特別暖。除此之外，火還能拿來驅趕野獸、照亮

用火是「化學」
的開始。

烤肉算化學？
太簡單了
我也會……

黑暗……火這麼好用，當然不能讓它熄滅。後來，人類發現鑽木取火或用燧石互擊就能生火，從此就進入能夠控制火、用火改變自然生活的新時代了。

　　或許是在一個圍著火堆打瞌睡的無聊午後，我們的祖先發現，火堆下長期受到火烤的泥土竟然變得十分堅硬。於是有人去找黏土和水，捏成盤子或盆子的形狀放入火堆，便烤出了好用的陶盤或陶盆，從此人類文化就進入陶器時代。後來，在尋找泥土及燒陶的過程中，又發現有些礦物或石頭很不一樣，燒著燒著竟然會出現玻璃，以及閃亮發光的金屬，於是人類又進一步進入銅器時代，再從銅器時代發展到鐵器時代。

　　陶瓷和玻璃的發明，使人類能貯存水和盛裝食物；銅器和鐵器的發明，則使人類的狩獵與農業迅速發展。於是乎，人類的社會生產力提高了，除了應付每天的吃喝拉撒之外，慢慢有了多餘的精力和時間，發展陶藝、釀酒、染色和各種冶金工藝，這些林林總總的活動，雖然都還沒有發展出系統化的知識理論，但它們都算化學的前身，並用極為緩慢的速度為人類文明建構了最早的化學知識。

這些都是我們做出來的！　　——火

### 信仰主宰了所有未知的解答

　　不過，除了日出而作、日落而息的生活規律以外，大自然施加在人身上的，還有無情的天災地變、洪水猛獸，無止無盡的疾病和死亡。想想看，如果你也生活在遠古時期，會如何解釋這些令人害怕的現象？

神呀，請告訴我答案！

　　沒錯，我們的祖先對於太多的未知，只能「問天」，人類最早的「信仰」，也就是這麼來的。因為當人類對大自然不了解，只能發現規律但卻找不出原因時，自然很容易發展出「大自然一定是有『神』或『靈』在背後操弄」的概念。

　　他們認為：「神掌管了萬物的運作，而人必須遵守神的規則。」

　　我們來想像一下，如果今天我們是遠古人類，在草原上看到閃電從天而降引發大火，雖然我們知道天上時不時會打雷下來，但我們只知道打雷很可怕，卻不曉得為什麼會打雷，這時你怎麼解釋打雷的現象呢？對科學原理一無所知的原始人，會直接聯想：「天上有人在負責打雷！」而那個人是誰？姑且就叫他「雷公」吧！之後只要遇到打雷，就代表雷公生氣了；所以我們只要多聽雷公的話，不要惹雷公生氣，這樣就不會遭到雷劈，心裡就覺得安心多了……

　　按照這樣的邏輯，火有掌管火焰的火神、河有掌管水流的河神、穀物有掌管豐收的豐收神……甚至連茅坑都可能有茅坑神吧！人類的神靈信仰就這樣興起，在世界各地蓬勃發展。有趣的是，人們創造了「神」以後，不只自己崇拜起神來，還為這些神明寫了許多故事，讓神也像人一樣有七情六慾，在天上人間發展錯綜復雜的愛恨情仇，像「希臘神話」就是一個「神際關係」超級複雜的最佳例子。

**自然哲學家影響後世的科學進展**

　　不過話說回來，當一般大眾忙著聽從神的教誨、用神蹟解釋自然現象的同時，卻有一群人保持獨立思考，不隨隨便便跟著流言起舞。這群人客觀的觀察周遭世界，再提出自己的見解與觀點，他們是古代最早的自然哲學家，也可以算是現代科學的祖師爺。

　　這群自然哲學家遍布希臘、埃及、印度、中國和世界各地，探討的問題

人類科學的發源地位在古代的「小亞細亞」。

非常廣泛，包括整個宇宙的起源、大自然的本質、物質之間的相互關係或物質運動的規律等。雖然這些問題聽起來又大又空泛，他們提出的見解也不一定正確，但是卻催生了現代的科學。尤其是古希臘的哲學家們，他們提出的觀點，對後世的化學乃至整個科學、科技的發展，都有著古老而且深遠的影響。

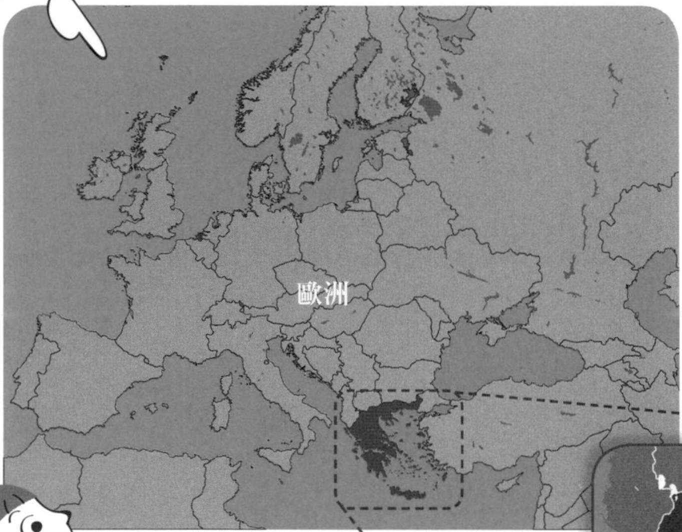

「小亞細亞」位在現代的土耳其，這裡位處歐亞大陸的交界，是孕育人類古文明的重要區域，包括《希臘神話》、《荷馬史詩》和《聖經》等古典名著與傳說，都在這裡發生。

歐洲

原來在這裡！

古代希臘的區域則包含一部分的小亞細亞以及散布在愛琴海上的許多島嶼。

古代希臘

希臘

愛琴海　小亞細亞

接下來，就讓我們一起來聽聽有「科學之祖」美譽的希臘哲學家泰利斯（Thales）故事。在兩千六百多年前，當大部分的人都還相信天神宙斯會下凡跟人間女子談戀愛時，泰利斯到底是怎麼獨排眾議，談理性、說科學、論思辨的……

# 科學的始祖
# 米利都的泰利斯

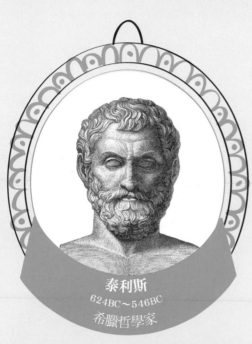

泰利斯
624BC～546BC
希臘哲學家

米利都（Meletos），是古希臘位在小亞細亞門德河口的一個繁華城市。它的西方隔著愛琴海，與希臘本土遙遙相望，東邊接著新巴比倫王國，南邊渡過地中海就是文明古國埃及。由於地理位置四通八達，這裡不但商業繁榮，也是各種文化思想薈萃與交流的中心。

西元前624年，一個非常愛問「為什麼」的孩子，在米利都誕生，他的名字叫做泰利斯。這個孩子腦袋清晰、反應快速，日後長成了一個名垂青史的自然哲學家。做為一個思考達人，泰利斯最常思考的題目就是：

「自然是什麼？」

「世界是由什麼構成的？」

我要努力
向大自然
找答案！

**青年泰利斯**

為了尋找答案，年輕的泰利斯請教了當時的長老、智者，以及許多見多識廣的人，但是都只得到「不清楚」、「不知道」這種令人洩氣的答案。

直到一位白髮蒼蒼的老人說：

「年輕人，去鑽研吧！老天不會辜負你的努力！去大自然尋找你要的答案吧！」

於是，泰利斯帶著老人的話，展開了他的自然探索之旅。他用心的觀察身邊的自然變化，認真的思考萬物之間的關係。據說他的足跡遍布埃及與美索不達米亞，在那裡學到了天文學和幾何學，並把幾何學帶回古希臘。他還學習土地丈量與占星術、預言日蝕的日期與時間，還估算出太陽的直徑，認定一年應該擁有三百六十五天……

隨著時間慢慢過去，對知識充滿熱情的泰利斯已經成為聞名的大學者，但是他仍不斷的思考：「自然究竟是什麼？它又是由什麼所組成的呢？」

據說，曾經有人質疑：「知道這些有什麼用呢？你看看，哲學家（也就是現代說的科學家）都是窮光蛋，可見學習哲學一點用處也沒有！」

我要向大家證明，
只要哲學家願意，
也可能擁有財富！

**中年
泰利斯**

為了反駁這種說法，泰利斯運用他最精通的天象觀察，預知到第二年的橄欖將會有大豐收；他用他身上僅有的一點錢，把當地全部的榨油器，用很低的價

錢預租下來。到了第二年榨油器突然供不應求的時候，泰利斯就藉此賺了一大筆錢。

他做這件事的目的不是為了賺大錢，而是向世界證明——向大自然學習是很實用的。

三十歲時，泰利斯決定從商。他注意到小亞細亞的橄欖油非常貴，但在埃及卻非常的便宜。於是他買船，做起了跨海的橄欖油生意。在經商的過程中，他看到海天一色的壯觀景象，也見識到大海的浩瀚無邊與無窮盡的威力，於是他把在海上的所見所聞，套用在多年來不斷追尋的答案，最後終於得出了屬於自己的結論：

「萬物都源自於水。」

「組成自然界的本源就是水，水是形成自然萬物的最基本元素。」

「世間萬物都由水而來，是水用不同的形式展現出來的。」

泰利斯進一步推論，在遙遠的古代，地球上曾經是一片汪洋，大地和萬物就從這片汪洋衍生出來，就像尼羅河三角洲是從水中浮現出來的一樣。他還認為，整個世界是一個浮在水上的圓盤，地震則是因為大地被水浪衝擊所造成的。

由於水可以汽化，也可以凝固，所以可以用氣體、液體、固體三種型態的交叉變化，發展為各種萬物的樣貌。

泰利斯的理性思考，以及對天文、地理、數學等現象的觀察與理解，讓他成為許多學者學習的對象。後來他和學生形成「米利都學派」，也使得米利都成為日後希臘哲學與科學的發源地。

如果用現在的眼光來看，或許你會覺得泰利斯的理論既奇怪又不正確，聽起來非常荒謬。

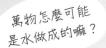

但是，在那個古老的年代，泰利斯是第一個撇開神和超自然力量，倡導用理性、邏輯去思辨，並用實際觀察去解釋自然現象的人。換句話說，泰利斯建立了一個新的模式——用現實世界和大自然的術語來解釋人類周遭的變化，而不牽扯到宗教、神和超自然的力量，這就是「科學」的本質。

未來，真正的科學將像種子一樣，在這片土地萌芽；而米利都的泰利斯，就是第一個播種的人，他是偉大的科學啟蒙者，也被公認是我們這個世界科學與哲學的始祖。

### 真正的科學還在休眠中

聽完泰利斯的故事，或許你會以為科學從此發芽、茁壯，很快就會長成大樹了。但事實不是這樣。真正的科學還要經過一兩千年才會開花結果。這是因為泰利斯提出的科學概念畢竟還不成熟，而且當時的哲學家不是貴族就是富裕的自由民，他們通常只願意進行「高尚的」腦力活動，不願動手「做實驗」。而做實驗大多是勞力活，很像社會地位低落的奴隸才做的事，所以當時的科學通常只停留在高談闊論，沒有實驗根據，在發展上受到很大的限制。

另一方面，像泰利斯這樣的思想家，在當時畢竟極為少數，大部分的人，其實更容易被超自然的神力與奇蹟迷惑，所以科學的思想，在世界的一角火光乍現後，很快就在歷史的洪流中沈寂下來。接下來的世界，還要陷入迷信與非理性、糾葛在「煉金術」的迷霧中，好久好久好久……

## 快問快答 ||||||||||||||||||||||||||||||||||||||||||||||||||||

**1** 除了用火，原始人也早就會用風、水、土、石頭、樹木等自然界的
東西，為什麼會說用火才是人類化學的開始呢？

這跟人類對「化學」的定義有關係。如果你能瞭
解「化學變化」跟「物理變化」的差別，應該就
能明白——為什麼用火是人類化學的開始了。

簡單的說，化學就是一門「探討物質變化」的學
問。原始人會用風吹乾獸毛、用水清洗身體、用
石器削開樹皮……都只算是「物理變化」，而不
是「化學變化」。因為這些動作都只改變了物質
的狀態，而沒有產生新的物質。相反的，用火把
肉烤熟（肉裡的蛋白質分子變性）、燃燒樹枝取
暖（樹木的纖維素變成碳），都創造了新物質，
才是真正的化學變化。

原來烤肉
是化學變化！
化學跟烤肉
一樣能吃嗎？

**2** 哲學跟科學聽起來差很遠耶！為什麼古時候的自然哲學家，會成為
現代科學家的祖師爺呢？

你的疑惑我理解。在現代大學裡，「哲學系」通常在文學院，跟培
育各種科學家的理學院、工學院……好像相去甚遠。

但事實上，過去的自然哲學家跟後來的科學家，探求真理的本質是
一樣的——他們都在尋找**萬物的規律**，試圖找到能解釋大自然
的現象，只是方法不一樣而已。過去的自然哲學家多半是透過「觀
察」和「思考」來解決問題，但後來的科學家，則必須設計「實

驗」，透過實際的、可重覆得到的驗證來尋找答案。

也因為這樣，後來任何領域的最高學位「**博士**」，英文都稱為**Ph.D.**或 **PhD**，也就是**Doctor of Philosophy**——「**哲學博士**」喔！

**③** 既然古代的埃及、中國、印度、小亞細亞……都曾出現自然哲學家，為什麼會說人類科學是起源於小亞細亞的古希臘呢？

我的天象觀察是有根據的，不是空泛猜想，所以才能精準預測賺大錢喔！

**泰利斯**

難怪大家會叫你科學的始祖！

當然，現代的科學是全世界的科學家前仆後繼、共同累積的結果。但是如果提到科學的起源，通常還是追溯到古希臘時代的那一群自然哲學家。因為他們不但提出了完整的理論架構，在議題討論與知識的論辯上，也具備了系統性的觀點。

更重要的是，他們的觀點在後來的一兩千年中，陸陸續續受到後人傳承、修正，並演變成了強調實驗與實證的「科學」。但其他地區的自然哲學家，後續多停留在空泛的理論層次，並沒有發展出實證的技術與方法。

## LIS影音頻道 ▶

**【自然系列—化學Ⅰ物質探索01】科學怪博士—科學的起源**

身處在一個科學發展飛快的時代，我們使用著科學、控制著科學、也被科學控制著，卻從未想過一開始的「科學」從何而來。在遠古時期，人們對大自然並不了解，面對各式各樣的天災，只能向天上的神明禱告。然而，日復一日、年復一年，人們終於發現光靠神明並不能消災解厄，從此科學也開始悄悄誕生了……

# 黃金、魔法石與長生不老藥

## 煉金術士

你們知道，人類歷史是如何從沒有化學的時代，「長」出化學這門學科來的嗎？有人認為，化學的始祖就是——煉金術。

煉金術的英文是「alchemy」，而化學是「chemistry」，從它們名字的演進，就可以嗅出一點祖孫關係。但是，煉金術是追求黃金、財富與不老仙丹的夢想，散發著妄想、神祕、狂熱與江湖術士的氣味，怎麼會跟實事求是、講求實證的科學——化學扯上關係呢？

知道什麼是「歹竹出好筍」嗎？又或者，至少聽過「青出於藍」這句話吧！西方的近代化學，的確是源於滿腦子發財夢的煉金術，而煉金術的起源，又要從古老又遙遠的埃及開始說起，整整橫跨兩千多年的漫長歷史。

煉金術就是把普通金屬煉成黃金的技術。

黃金？這個我有興趣！

十六世紀的波蘭煉金術師正在展現煉金成果。

### 煉金術緣起於埃及

西方煉金術的起源，最早可以追溯到古埃及的金屬冶煉技術。當時繁榮昌盛的埃及有一群很厲害的工匠，專門為富人和神廟製作藝術品。他們本來就很熟悉怎麼為銅器鍍金，甚至是偽造黃金和製作假寶石的方法，但是卻從來不知道這些普通金屬最後是否真的變成了黃金。

換句話說，他們知道自己在「造假」，但沒想過要「由假變真」。直到後來，古希臘的哲學思想和東方的神祕主義傳進埃及以後，這些工匠才受到影響，開始轉而相信自己製造的「假黃金」，可能有機會變成某種形式的「真黃金」了。

為什麼希臘的自然哲學有這種「弄假成真」的魔力呢？原來，希臘自然哲學有一部分認為：萬物都是有生命、有靈魂的，物質的存在並不重要，重要的是物質的靈魂（或靈氣）。既然靈魂的優劣決定了人的善惡，金屬的優劣當然也由金屬的靈魂所決定。所以只要想辦法，讓普通金屬的靈魂提昇，或是讓黃金的靈魂轉入普通的金屬，那麼不管什麼賤金屬都能變成十全十美的真黃金了。

## 古人如何讓金屬長出「黃金魂」？

**1 讓金屬死亡**

先讓普通金屬「死亡」，變成沒有靈魂的金屬。通常是用鐵、錫、鉛做成黑色的合金，因為黑色代表死亡。

 —— 死亡的金屬

**2 加上貴金屬靈魂**

為死亡的金屬加上金、銀等貴金屬的靈魂。由於昇華的現象代表飄出靈魂，先用「水銀蒸氣」使合金的表面薰上一層白色，就代表變成銀。

 —— 變成銀

**3 薰上黃金色澤**

最後再用「硫黃蒸氣」在合金表面薰上一層黃色的色澤，就代表得到黃金的靈魂，煉金大功告成！

 —— 變成黃金

# 煉金術的聖經
# 翠玉錄

結合各種文化傳說的赫密斯形象。

《翠玉錄》是傳說中的一塊祖母綠石板，相傳它被發現於西元前四世紀的金字塔密室，而作者正是煉金術界的祖師爺——赫密斯（Hermes Trismegistus）。

據說，赫密斯是埃及和希臘智慧之神的後代，也有人說他是埃及的托特（Thoth）、希臘的赫爾墨斯（Hermes）、羅馬的墨丘利（Mercurius）三位神祇的融合，總而言之——就是神一般的男人啊！

赫密斯寫下大量的煉金術書，也以口述的方式將學問傳授給兩大徒弟。傳說他的兩大徒弟，分別是埃及祭司馬內拖（Manetho）和敘利亞哲學家楊布理柯（Iamblichus），不過這兩個人的年代差了快一千年，可見這個傳說根本不是真的！

不過，赫密斯影響後世最深遠的著作還是《翠玉錄》。其實，翠玉錄只是一塊刻著神祕文字的石板，上面暗示著他知道整個宇宙的三重智慧，也就是煉金、占星與神通術；所以，不管是埃及、阿拉伯、希臘方

面的煉金術士，都以《翠玉錄》為哲學基礎，直到十七世紀，連大名鼎鼎的牛頓都還在致力於解讀其中祕密，可見翠玉錄對西方的煉金世界來說，根本就像聖經一樣啊！

這是確鑿無瑕的真理，
上方之物正如下方之物，反之亦然。
又因萬物源於一物，故一物的思索可衍化為萬物。
太陽是其父，月亮是其母，
風兒將它攜於腹中，大地是它的看護。
萬物之父，世界的先知在此。
若是它降臨於世，即擁有完整無敵的力量。
伴隨著崇敬與智慧，你應愉快的從烈火中分離泥土，
從粗鄙中分離精細。
它直衝雲霄，然後再次落下，吸收天地之力。
然後你將會擁有世界的榮耀，
所有的障礙都遠離你。
這是最強的力量，它將戰勝一切精巧之物，
穿透一切堅硬之物。
世界即是如此創造而成，
按此所得是奇蹟般的演化。而擁有三重智慧的分身的我
也因此得名赫密斯。
我說，有關太陽的任務已經完成。

《翠玉錄》的中文譯文

## 東西方都迷煉金術

　　聽起來感覺很玄，是不是？但是，我們不能用現代的觀點去理解過去的世界，因為古人還不知道大自然和物質運作的原理，遇到不可理解或無法扭轉的自然現象時，很容易訴諸神祇、鬼怪、靈魂等看不見的超自然力量來解釋。

　　在東方獨立發展出來的煉金術，也和西方有共通的特點。中國古代的煉金術又稱為「煉丹術」或「黃白術」（黃是金，白是銀），煉丹術士認為黃金被火燒也不消滅、被掩埋也不腐朽，如果人能夠吃下金丹，一定就能像黃金一樣百病不侵、不老不死。在丹爐中也能發展許多煉丹大法，讓其他普通的物質，朝向十全十美的黃金「進化」。

　　可惜，這些都是異想天開的錯誤想法。在漫漫歷史的長流中，不知道有多少人因為迷信長生不老、吃下金丹而死去，因為煉丹用的「丹砂」，化學成分其實是有毒的「硫化汞」。煉丹術士以為只要把丹砂加熱，就會出現水銀，而水銀又可以「進化」為黃金，所以服下黃金和丹砂，就能長生不老、壽與天齊，但其實水銀具有劇毒，服用丹藥就像慢性自殺，不會延年益壽，只會提早GG。

我是紅色的喔！

丹砂又稱為硃砂，礦石的外表呈現紅色，就像血的顏色，所以在古人眼中象徵生命、具有靈氣。而丹砂（硫化汞）加熱後，出現的水銀（汞）更是神奇。所謂「見火則飛」的昇華現象，很像神仙的羽化飛升，所以又靈又神。

　　唐代著名詩人白居易（772～846）就曾在「思歸」一詩中描述許多人迷信煉丹的悲慘下場：「退之（韓愈）服硫黃，一病訖不痊；微之（元

稹）煉秋石，未老身溘然；杜子（杜牧）得丹
訣，終日斸腥膻；崔君（崔玄亮）誇藥力，經冬
不衣棉，或疾或暴夭，悉不過中年。」

嘖嘖嘖，好慘啊！這些人都是當時有名的知
識份子，居然也都受到丹藥迷惑而不幸致死，難
怪白居易會如此感慨了！

### 最後的煉金術士——牛頓

1727年英國大科學家牛頓（Isaac Newton）
死後，朋友才發現他留下了數百萬字的煉金術研
究資料，原來牛頓晚年對煉金術十分沉迷。據他
的僕人表示，只要到春秋兩季牛頓就會特別忙
碌，這兩季正是煉金術開始與豐收的季節，想當
然爾是在進行煉金術的實驗。到了二十世紀後，
用科學方法重新檢視牛頓的死因，也發現是他死
於慢性的汞中毒，讓人更加確定牛頓曾經狂熱的
追求煉金術，但卻沒得到什麼成果。

**艾薩克·牛頓**
1642 ～ 1726
**英格蘭物理學家**

其實，科學在早年是不分家的；
研究物理的人往往也同時研究
植物、動物、數學、醫學或化
學……大科學家牛頓的物理成就
輝煌，但化學成就普普，他被稱
為「最後的煉金術師」。

當然，在煉金術漫長的發展過程中，有不少狂熱的煉金份子真的很努力
在鑽研各種技術、尋找修煉真金的方法。但是，有更多的人只是招搖撞騙
的騙子，或是淪為幫助貴族發財聚富的工具。

十二世紀時神聖羅馬帝國國王亨利六世（Heinrich VI，1165～1197），
就曾僱用三千多個煉金術士，將煉造出來的「黃金」（可能是銅的合金）
鑄成「金幣」，運到法國換取利益；但是神聖羅馬帝國並沒有因此得到好
處，為什麼呢？因為法國皇室也幹了一樣的勾當，把煉出來的偽造金幣送
到神聖羅馬帝國。兩個國家互相詐騙，是不是非常可笑呢？

# 煉金術的魔法石與尼古拉·弗拉梅爾

尼古拉·弗拉梅爾
1330～1418
法國煉金術師

1317年，為了怕煉金術製造的黃金擾亂國家財政，教皇明令禁止煉金術的各項活動。但是，教皇的禁令只是讓煉金術轉為祕密進行而已，因為這門追求黃金的神祕學問，對世人具有致命的吸引力。而在當時，最有名的煉金術士是住在法國巴黎的尼古拉·弗拉梅爾（Nicolas Flamel）。

據說，大煉金術師弗拉梅爾在夢中拿到天使給的《亞伯拉罕之書》，經過多年解讀及研習，在1382年成功製造出「賢者之石（Philosopher's stone）」，並因此得到巨大的財富。

弗拉梅爾在他的遺囑中寫道：「我逐字逐句的按照天使之書的指示，根據相同數量的水銀來推演賢者之石，最後水銀就蛻變成黃金

了，它比普通的黃金更柔軟、更具可塑性。」世人發現這份遺囑後，虎視眈眈的想找到他所提到的賢者之石，因為在傳說中，賢者之石具有點石成金的魔力，又能製造萬能藥；只要誰能得到它，就能享受榮華富貴以及千秋萬世的美名。

但是人們撬開尼古拉夫婦的棺材時，裏頭卻空無一物，別說是賢者之石了，連屍體都沒有！只見到墓室中充斥著許多怪異的符號和難懂的浮雕。究竟弗拉梅爾的巨大財富從何而來？他所說的賢者之石到底在哪裡？從此就成為歐洲史上的大謎團與眾人追逐的夢想目標。

十五世紀，神聖羅馬帝國皇帝魯道夫二世（Rudolf II，1552～1612）就曾在手頭困窘時（你沒看錯，皇帝也會因為財政不佳而想發財），找來一票煉金術士幫他尋找賢者之石。他花了一大堆銀子，給予這幫術士充足的研究經費，還為他們建立皇家煉金實驗室。但是到了最後，不只賢者之石沒有下落，滿腦子發財夢的魯道夫二世還因為經常接觸有毒的重金屬而慢性中毒、神智不清。

「賢者之石」的概念，是由八世紀的阿拉伯大煉金術師賈比爾（Geber，721～815）所提出。它不一定是石頭，也可能是其他固體、粉末、或液體。圖為賈比爾畫像。

想像中的賢者之石

## 煉金術是化學的基礎

最終，長達兩千多年的煉金實驗失敗了。但是，煉金術並不是毫無貢獻，沒有煉金術或許就沒有今日的化學。煉金術士在煙霧繚繞的昏暗密室中，揮灑汗水、聞著毒氣所進行的物質實驗，還是有不少發現一直沿用到現代。

像是古埃及的煉金術師，早在西元三到四世紀時就提出了「催化劑」的概念；而王水、硝酸、硫酸等化學物質，也都是十三世紀末的煉金術士所發現的。他們間接瞭解了酸的性質和其他片段的化學知識，但是，他們只知道如何調配，卻沒有扎實的理論基礎，也無法理解其中作用的道理。

「點石成金、長生不死」，這些虛幻不實的夢想，經過長達兩千年的跌跌撞撞，也奪走無數人的生命後，終於讓世人慢慢覺醒過來。但是，要讓一整個世代與一整個世界的人，拋棄一套舊有想法並不容易。根深蒂固的煉金術，究竟是如何被扳倒的呢？過去被視為煉金術分支的「化學」，又是如何凸顯出科學的價值，走上新時代的舞台呢？為什麼後來許多煉金術師，最後拋棄了煉金術的神祕思想，成為實事求是的科學家呢？

這一切開始於一個名叫波以耳（Robert Boyle）的化學家，一個富二代、單身、有口吃、還體弱多病的英國人，以及他的劃時代作品《懷疑派的化學家》（《The Sceptical Chymist》）。

## 快問快答

**1** 明明世界上的金屬百百種，為什麼古代人特別喜歡黃金？拚了老命都想要煉出黃金呢？

當人類還沒有發展出冶礦技術時，能從大自然裡「撿」到的金屬大約只有**金跟銀**，因為這兩種金屬不活潑，不容易和其他元素化合，所以會以純粹的**「自然金」**、**「自然銀」**樣貌出現。之後雖然有冶礦技術，能提煉出來的金屬也不算多，只有鐵、銅、鉛、汞、錫、鋅等等。但是，銀會氧化變黑、鐵會生鏽、銅容易被腐蝕變綠、鉛總是被氧化變得灰灰黑黑……只有黃金，非常穩定，總是閃著黃澄澄的光芒，易於保值又適合收藏，所以受到古人偏愛應該一點也不奇怪吧！

黃金，還是你最美了……

**2** 古老的煉金術失敗了，但現代的化學已經發達一千倍了，難道還是不能煉出黃金嗎？

可以。但不是用「煉」的，而是用……「撞擊」出來的。簡單的說，你可以用微小的「中子」去撞擊「汞原子」（汞原子比金原子多一顆「質子」）。當汞原子吸收了一顆中子，引起原子核的結構變化，而失去一顆「質子」以後，汞就會變成金了。1941年，美國哈佛大學有三位科學家，就是用類似的方法把汞轉化成金原子（什麼是中子、質子及中子撞擊？請見下集第十九、二十課的內容）。當然，也有其他科學家設計出不同的方法。但基本上都是利用核融

合或核分裂等核子反應，需要有粒子加速器或是核子反應器才能進行，一般人是不會擁有這樣的技術和工具的。

 **3** 哇！那這些撞金成功的科學家，豈不是都變成大富翁！有人跟著做嗎？

這些科學家把造金的知識和方法都寫成論文公諸於世了，但沒有人想跟著做。因為適合使用的汞（汞196，是七種汞同位素裡的其中一種），在自然界中只佔0.15%，非常珍貴稀有，而且每一公斤的汞196只能得到0.73克的黃金，整個實驗花的錢比買黃金貴多了！

1997年，日本北海道大學也曾有一位科學家提出構想，利用高能量的 γ 射線撞擊汞，預計花七十天就能讓1.34公頓的汞，轉變成74公斤的黃金和180公斤的鉑。可是，光是發射 γ 射線的「電費」，大約是新台幣41.3億元，而一公斤的黃金，則約是新台幣122萬元，你用膝蓋算一算，這是一樁會發財的好生意嗎？

沒想到撞金發財虧更多！

---

## LIS影音頻道 ▶

**【自然系列—化學 | 物質探索02】煉金術的故事—湖之煉金術師**

長生不老、點鐵成金，是人們自古以來便不斷追求的。傳說中，只要學會「煉金術」，這些夢想都可能成真。煉金術究竟是什麼樣的一門法術，竟然能流傳千年，並且讓世世代代的人們都為它瘋狂呢？一起點開影片來一探煉金術之謎吧！

# 第 3 課

## 化學之父

### 波以耳

**波**以耳常被尊為「化學之父」，可見他在化學世界裡的江湖地位有多麼的崇高。因為是他主張讓化學脫離煉金術，獨立成為一門科學。他也強調——**實驗的結果勝於雄辯，沒做實驗的空談根本不是科學。**

　　但是，若以為他是「一個人」扳倒了煉金術、一手催生現代化學的話，也未免言過其實。事實上，在波以耳生活的時期，本身就是一個叛逆心大爆發的時代，不只是他，許多知識份子都想掙脫「神」與「教義」的束縛，重回以「人」與「事實」為出發點的理性時代。

為什麼大家都說波以耳是化學的「爸爸」呢？

因為從他開始，化學才真正變成了「科學」喔！

上帝

波以耳

波波，你不喜歡我了？

沒啦，我只是忙著做實驗……

### 黑暗時代：「神主宰了一切」的價值觀

　　在談叛逆的時代之前，讓我們先說說「被叛逆」的對象。從西元五世紀西羅馬帝國滅亡，到十四世紀文藝復興運動之間的歐洲歷史，是所謂的「中世紀」時期；中世紀又常被稱為「黑暗時代」，光聽名字，就流露著一股文化後退、知識混沌、看不到希望與光明的負面氣息。

因為，黑暗時代的社會，是由教皇和天主教會占據著最高地位，人們只能用聖經上的教義解釋一切，如果有人提出異議或創立新的學說，必須經過教會同意，不然就會遭到壓制或嚴厲的懲罰。所以在那段期間，藝術，畫的是神的事蹟；文學，寫的是神的話語；哲學，討論的是神的世界。

那麼，科學呢？啊！上帝就能解釋一切了啊，所以科學……哪有存在的必要。

在那將近九百年的期間，社會主流追求的是崇高的信仰與死後如何到達天國，而不是研究現實世界或做實驗這種「俗氣」的活動。人們普遍相信疾病是上帝對人的懲罰，所以當十四世紀人類史上最嚴重的瘟疫「黑死病」爆發時，治病的方法就是努力禱告、求上帝清洗自己的罪惡，而不是用藥治療或找出生病的原因。整個社會迷信、愚昧，又充滿著受到上帝懲罰的恐懼，還經常爆發戰爭與傳染病，所以時代少有進步，宛如沒有光明的黑夜。

黑夜很漫長，但不會永遠持續下去，到了最黑最深沈的時候，自然有人會竭盡所能尋找光。

**文藝復興時期：將目光由「神」拉回「人」**

「文藝復興」就是把過往榮光重新找回的一股風潮。十四世紀末，這股風潮從義大利的佛羅倫斯襲捲歐洲各地，鼓吹人們應該重新學習希臘羅馬時代的哲學、文化與理性思考，把眼光從仰望「神」，重新拉回到「人」的身上。

這場運動不但使文學和藝術大放光采，也讓科學家們重新思考並嘗試掙脫神學的禁錮。

先是天文學家哥白尼（Nicolaus Copernicus，1473～1543），提出「太陽才是宇宙中心」的「日心說」（Heliocentrism）挑戰教會認為

「地球是宇宙中心」的「地心說」（Geocentrism）。解剖學家維薩里（Andreas Vesalius，1514～1564）解剖人體，打破疾病是上帝降禍的迷信。伽利略（Galileo Galilei，1564～1642）研究自由落體、牛頓提出三大運動定律……這一系列的嶄新學說，促使教會受到翻天覆地的挑戰。

而為了維護教會的權威，只要提出的學說與神學衝突的人，都會被視為「異端」，受到由修士組成的「宗教裁判所」審判，如果這些「異端」還執迷不悟，不肯承認自己是錯的，最後的下場很可能就是被綁上火柱，活活燒死。例如支持哥白尼「日心說」的科學家布魯諾（Giordano Bruno，1548～1600）和伽利略，就分別被宗教裁判所處以火刑和終身監禁，哥白尼的著作也被視為異端邪說而查禁。

化學之父波以耳，就是生在這個想要改變，卻又面臨陣痛的新時代。

這是西班牙知名畫家哥雅（Francisco Goya，1746～1828）的名畫「宗教裁判所」。宗教裁判所又稱為「異端裁判所」，負責調查、審判「異端」們犯下的罪行，並處以沒收財產、鞭打、監禁甚至活活燒死的懲罰。

# 懷疑派的化學家

我也是自學出身的喔！

**羅伯特・波以耳**
1627 ～ 1691
愛爾蘭自然哲學家

「這個校……校……校長他……，嗚嗚……我……我……不行……」有點口吃的波以耳向老爸哭訴道。

八歲就學會拉丁語與希臘語的波以耳，原本是公認的天才兒童，但他進入英國名校伊頓公學（Eton College）就讀後，卻不如預期般順利。特別是十一歲那年來了新校長後，他就經常受到誤會和體罰，所以父親乾脆讓他離開學校，聘請家教老師陪著他在歐洲四處遊學。

不過，脫離學校的傳統教育，對波以耳來說反而是好事，他因此有機會吸收當時最新、最前衛的科學理論，像是認為「地球會繞太陽轉」的哥白尼「日心說」，以及闡釋**「萬物其實是一部大機器」**的笛卡兒（René Descartes，1596～1650）**「機械論」**（Mechanism），這些理論都是當時被視為「異端」、學校絕不會教的新知。而這些突破性的科學思維，都啟發了波以耳的想法，是他將來能撼動化學世界的基礎。

另一方面，自從「賢者之石」的傳說流傳到歐洲以後，煉金術就在歐洲盛行，看起來好像遍地黃金，雖然此黃金非彼黃金⋯⋯不過呢，反正沒差，因為所有煉出黃金的傳聞都是假的，只有引起教廷的不悅才是真的。

雖然早在1317年，教皇已下令禁止所有煉金術的相關活動，但是，黃金耶！你想它對人的吸引有多大呀！所以許許多多的煉金活動還是轉入地下，偷偷進行。

但是當時的煉金術不只煉金，還分為「冶金」、「製藥」、「礦物」三個方向，而「化學」則是「製藥」其中的一小部分。據說，波以耳是因為自己體弱多病，才投入製藥與化學的研究，希望改善自己的健康。

不過，他每天待在自己家裡自費修建的實驗室裡，誰來教他呢？只好先把其他煉金術師的書，奉為教科書來自修一番。但後來，波以耳愈看愈不對，受過新思想的影響的他，最終寫了一本《懷疑派的化學家》來反駁傳統煉金術，而這本書也成為波以耳撼動化學世界的一本曠世鉅作。

1661年出版的《懷疑派的化學家》，是以對話形式寫成的。書裡安排了五個朋友討論元素與化學的問題。這五個角色分別代表著當時並存的不同觀點：懷疑派、四元素派、三元素派與中立派。

聽說實驗時常用的石蕊試紙，就是波以耳發明的喔！

**到底在懷疑些什麼？**

什麼？你不信單憑一本書，就有改變世界的力量？你想知道《懷疑派的化學家》到底在懷疑些什麼？

沒問題。有這種質疑與挑戰的精神，正是研究科學的最佳動力。《懷疑派的化學家》對化學的最大貢獻，就是確立了元素的定義和基本概念。或許你會想：「『元素』的觀念老早就有人談了，又不是波以耳的新發明，有什麼了不起？」

沒錯沒錯，當時最盛行的元素理論就是亞里斯多德（Aristotle）的「四元素說」，和煉金術師霍恩海姆（Philippus von Hohenheim）的「三元素說」。可是，他們所說的「元素」並不一樣，既沒有清楚的定義，也沒有經過實驗證明。如果，未來化學想要成為一門「科學」，一定要先統一「元素」的定義，大家才能進行交流和討論。

而波以耳想做的，就是讓化學獨立成為真正的科學。

所以，他一開始就在《懷疑派的化學家》，安排五個角色，一起討論化學元素的定義。其中一位是「逍遙派」的化學家，支持的是亞里斯多德的「四元素說」。

為什麼支持「四元素說」的化學家叫做「逍遙派」呢？

因為他們總是一邊散步一邊討論哲學，很逍遙吧！

我認為萬物是由水、火、土、氣這四種元素組成的。

**亞里斯多德**
384BC～322BC
古希臘哲學家

氣

能飛升的氣態元素

水

能流動的液態元素

像塵土般的固態元素

火

能燃燒的元素

土

**四元素說**

另一位是煉金派的化學家，堅持捍衛煉金術師霍恩海姆的「三元素說」論。

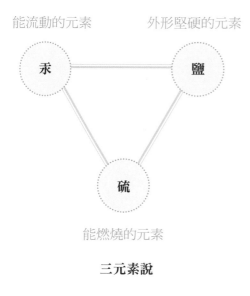

能流動的元素　　外形堅硬的元素

汞　　　　鹽

硫

能燃燒的元素

**三元素說**

我認為萬物是由硫、汞、鹽這三種元素組成的。

**霍恩海姆**

1493～1541

十六世紀煉金術師

還有一位，則是懷疑派的化學家，代表的是波以耳本人的觀點。

**懷疑派的化學家**

科學不能光說不練，快去做實驗！化學也應該是獨立的科學，逍遙派、煉金術通通out！

逍遙派

煉金術

### 找出兩種學說的疑點

波以耳利用了懷疑派化學家這個角色，說出他心裡想說的話。他認為，**元素應該是「某些最簡單的物質」、「不能由任何成分混合而成」**。換句話說，**元素就是構成物質最基本的「原料」，物質由元素組成，物質分解後也會變回這些元素**。

他還認為，「四元素說」的水、火、土、氣和「三元素說」的汞、硫、鹽，只是「物質的特性」，根本不是物質，更不用說是「元素」了！

像水加熱會變成煙霧（水蒸氣），但變冷後又凝結為水，所以，四元素說中的「氣」，其實就是「水」！不管「氣」或「水」都只是物質的特性，根本不算元素！

波以耳

如果沒有嚴謹的設計實驗加以驗證，而單單只是用「看的」、用「想的」，就把觀察到的物質特性當成元素，實在是大錯特錯，也不是身為科學家應有的態度。

但至於，世界上到底有多少元素呢？當時的波以耳並沒有提供答案，反正，不會只有區區的三種或四種而已。一切都要等待後起的科學家們，用理性的科學態度，在務實的科學實驗中，一個一個把它們都找出來。

## 快問快答

「元素」這個名詞偶爾在其他書上也會看到，它一定都指化學元素嗎？

當然不一定。**元素**這個詞，本來是**「本質、要素」**的意思，不管在文學、藝術或其他領域的文章裡都能用到。只有在談到化學的領域中，才是化學元素的簡稱。而在數學領域中，**元素**是指**「構成集合」**裡的任何一個成員。

波以耳認為古代哲學家說的元素，不是真正的元素。但是他自己提出的元素定義到現在還是對的嗎？

很難說對或不對。現在，我們學到的**化學元素**，是指**「用加熱、照光、或通電等一般的化學方法，仍然無法分解出其他新物質的純物質」**，同一種化學元素是由同一種原子構成，而這種原子的原子核裡具有的質子數目也是固定的。

但是在波以耳生活的時代，人們還不知道存在著各種不同的原子，更不知道原子裡有質子、中子、電子等基本粒子。波以耳以為，不同的物質都是由同一種「粒子」所構成的，只是當粒子以不同數量和排列方式集合在一起，就會形成不同的元素。

換句話說，波以耳心目中的「元素」和現代還是不同。但有別於古典元素的現代元素概念，還是由他奠定下來的。後來人們對物質有了更深入的瞭解以後，就以波以耳所說的元素理論為基礎，做出更精確的定義。

**3** 為什麼煉金術師對元素這麼感興趣呀？他們不是一心只想賺大錢、發大財嗎？

就是因為太想發財啦！為了煉出夢寐以求的黃金，許多煉金術師一心只想找出可以組成黃金的元素，他們以為知道黃金的元素配方以後，就可以隨心所欲的做出黃金！但事實上，黃金本身就是一種元素啊，哪來的元素配方啊！

不過，我們也別一竿子打翻一船人。在古代的煉金術士裡，也不乏追求真理的有志之士，像是牛頓、波以耳，都曾經從事煉金的實驗，也可以被稱為煉金術士。但是，他們是把煉金術當成真理與知識在追求，一心想知道煉金的真相是什麼，而不是把它當成發財的工具。

不哭、不哭！

還是你懂我！謝謝你幫我說話……

**波以耳**

---

## LIS影音頻道 ▶

**【自然系列─化學｜物質探索03】元素的定義─化學之父波以耳（上）**

在眾人皆醉心於煉金術的時代裡，只有他看穿了其中的破綻，粉碎了世世代代人們的美夢。這個在煉金術界掀起滔天巨浪的神祕人究竟是誰呢？

**【自然系列─化學｜物質探索03】元素的定義─化學之父波以耳（下）**

十七世紀的歐洲，波以耳在煉金術界掀起一陣波瀾。經過多年的苦心鑽研，終於讓他找到一舉擊退煉金術的重要關鍵……

# 第 4 課

## 是什麼在燃燒？

### 史塔爾

**你** 以為咱們的化學之父波以耳，寫完《懷疑派的化學家》，還提出「化學要做獨立科學，不做煉金術的僕人」的理論，整個世界會就此耳目一新，邁向堂堂的科學時代嗎？如果有這麼簡單，那世界就不會是現在這個樣子了。

世界的轉變一向沒有這麼容易，許多人會抱著舊有的想法不放，質疑並攻擊新的觀點。換句話說，不喜歡劇烈改變是大多數人的天性，新的觀念要慢慢的、慢慢的，向外滲透，經過十年、數十年，甚至百年，才能改變大多數人的想法。尤其在十七、十八世紀那個沒有電話、沒有電報、沒有電視，更沒有網路的時代，新思想的傳播，非常⋯⋯非常⋯⋯緩慢。

所以，1661年出版的《懷疑派的化學家》，在其後的一百年都沒有受到重視，也沒有什麼好奇怪。就算釐清「元素的本質」，對後世的化學發展非常重要，但是當時大多數人並不關心；反倒是「什麼是火？」、「物質為什麼燃燒？」、「物質燃燒了以後又會變成什麼？」，才是那個年代名符其實的「火」熱話題。

既然「燃素說」是錯的，為什麼還要教我們呢？

讓你們知道大科學家也會犯錯啊！

赫拉克里特
（Heraclitus）
540BC ～ 480BC
古希臘哲學家

依我看，整個世界就是一團永恆的活火！

**超級「火」熱的話題**

讓我們就從被波以耳 K 得滿頭包的三元素說和四元素說開始談起吧。

回到科學剛萌芽，也就是波以耳身處的十七世紀，講到「火」，最有名的理論就是四元素說裡的「火元素」，和三元素說裡的「硫元素」，兩者都具有「可以使物質被燃燒」的特質，所以當時的人認為：如果物質不含火元素或硫元素，就不可能被燃燒。

不過，要讓東西燃燒，真的只有這麼簡單嗎？

| 古文明 | 古典哲學 | 構成世界的元素 |
|---|---|---|
| 中國 | 五行說 | 金、木、水、火、土 |
| 古希臘 | 四元素說 | 水、土、火、氣 |
| | 五元素說 | 水、土、火、氣、以太（註¹） |
| 古印度 | 四大說 | 地、水、火、風 |

火在人類心中有著不可抹滅的地位。世界古文明的古典哲學，都把火看成構成萬物的元素之一，而且火不只能燒東西、煮東西，甚至可以製造出稀有物質，所以火也有「擅長改變別人」神祕特質。

**燃燒現象的觀察與解釋**

在討論怎麼解釋燃燒之前，我們先來看看燃燒時會發生什麼事吧。一般我們看到的燃燒現象就是「東西冒『火』，燃燒時冒『煙』，燒完之後剩『灰燼』」，古人看到的也是這樣。想像一下，如果你是對燃燒一無所知的古人，會怎麼解釋這個現象呢？其實早在煉金術盛行的時代，煉金術師就有屬於自己的講法，他們是這麼解釋的：

註¹：以太（Aether），存在於上層大氣或天體空間中的一種物質。

東西在燃燒時，物質體內的「硫」元素開始被消耗，等硫元素被消耗完之後，就會只剩下不含硫的灰燼。

**煉金術師**

　　這種說法乍聽之下好像合理，但仔細想想，卻又太過簡單，而且會萌生更多的疑問——硫元素在哪裡？不能燃燒的東西也含硫嗎？硫是怎麼被消耗的？除了硫，燃燒不需要任何其他東西嗎？

　　到了十七世紀，我們懷疑派的化學家波以耳，做了一系列的燃燒實驗（沒錯，波以耳也不例外，對研究燃燒非常著迷），其中一項就是把將木柴與硫磺放入器皿中，接著抽出器皿中的空氣，然後加熱。

　　結果他發現，在沒有空氣的情況下，被認為有「火元素」或「硫元素」的木柴與硫磺，根本不會燃燒。換句話說，能不能燃燒跟什麼硫元素或是火元素不見得有關係，反而是跟「空氣」有關。

哇哈哈哈，波以耳說我才是影響燃燒的關鍵！

　　同一個時期，在德國也有一位集醫生、經濟學家與煉金術師等偉大頭銜的神人——約翰・約阿希姆・貝歇爾（Johann Joachim Becher），也

在研究燃燒現象。貝歇爾是用「物質分解」的角度解釋燃燒，他認為任何物質經火一燒，都會被分解成比較簡單的物質，但被燒成灰燼之後，就不能再被分解。所以，根據這樣的觀察，貝歇爾提出了自己的燃燒理論：

**約翰·約阿希姆·貝歇爾**

1635～1682

德國學者、醫生、煉金術士

我認為物質裡
是由三種「土」所構成的，
分別是：

使物質堅硬的「石土」

使物質燃燒的「油土」

使物體流動的「汞土」

**霍恩海姆**

咦？這不是跟
我的煉金術三元素說
很像嗎？

一百年很長嗎？

當然囉！近代
化學到現在也不過
三、四百年！

　　沒錯，貝歇爾的燃燒理論，幾乎就是三元素說的翻版，像「汞土」是三元素說的「汞」、「油土」是「硫」，而「石土」則是「鹽」。雖然看起來有點重複，但貝歇爾的「油土」理論，接下來將被他的學生史塔爾（Georg Ernst Stahl）改成「燃素」，形成稱霸科學世界整整一百年的「燃素說」。

# 提出燃素說的史塔爾

**格奧爾格・恩斯特・史塔爾**

1659～1734

德國醫生、化學家

十七世紀，正是煉金術與現代科學爭論不休的年代。在當時，只要誰能正確解釋「燃燒現象」，誰就能登上科學盟主的寶座。而在提出燃燒理論的眾人中，以史塔爾的「燃素說」最為有名。

史塔爾是當時公認的一流化學家，他不只是宮廷御用的醫生、大學教授，還寫過許多與醫學和化學相關的書籍。當然，最重要的是，他結合他老師貝歇爾的「油土」理論和其他科學家的實驗結果，發展出了十八世紀初最具影響力的重量級學說——「燃素說」。

貝歇爾的油土理論認為：能燃燒的東西都含有「油土」。燃燒時，油土會不斷的被燒掉，一旦油土被燒光，東西就會停止燃燒。

這個理論提出後，受到許多化學家的質疑，因為如果燃燒時油土被燒掉，東西應該會變輕，但是許多金屬燃燒後，重量卻反而變重。另一方面，這時候已有許多科學家都注意到，燃燒時必須要有空氣，如果沒有空氣的加入，就算具有「油土」也不會燃燒。

於是，身為貝歇爾的大弟子，史塔爾把「油土」改為「燃素」，並且試著去解釋以上不合理的現象。

燃素
空氣
火
金屬

**史塔爾的理論**

**1** 金屬燃燒時，裡面的燃素會跑出金屬。

火
空氣

**2** 燃素離開後，空氣會補進燃素原本的位置。

空氣
金屬的灰燼

**3** 因為空氣比燃素重，所以金屬燃燒後就變重了。

**燃素說釋疑 1： 燃燒為何需要空氣？**

A：含有燃素的物質不會「自動」釋放燃素，必須藉由空氣才能把物質中的燃素吸出來，這就是為什麼燃燒時，一定要有空氣存在。

**燃素說釋疑 2：為什麼金屬燃燒後變重？**

A：因為燃素是一種很輕的物質，重量比空氣還輕，所以當金屬燃燒，釋放燃素後，留下的空位會被空氣填滿，重量自然就變得比燃燒前重了。

哇！史塔爾的說法，不僅解釋了燃燒時我們看到的現象，還將前人發現燃燒時的必要條件——「空氣」都給一併解釋了。如果是你，看到可以解釋這麼多現象的理論，能不心動嗎？

不只如此，身為醫生的史塔爾，還拿燃素說來解釋動植物及人體的現象，對大眾更有說服力。他認為，燃素充滿在我們的世界，植物會從空氣中吸收燃素，而動物吃下植物時，又從植物得到燃素，所以動物呼吸時，就會釋放身上的燃素，並在釋放過程產生「熱」，這也就是人類或其他動物為什麼會有體溫的原因。

有聞到燃素嗎？

由於史塔爾的燃素說，不只解釋了燃燒，還解釋了許多原本看似不相關領域的問題，所以一推出就受到許多科學家的歡迎，快速成為主流世界公認的真理。不過，事業得意的史塔爾，婚姻卻不順利，兩任妻子都因難產而死，使得他的性格變得孤僻，後半生被人稱為「厭惡人類者」。

我只聞到口臭！

**燃素究竟是什麼東西？**

在科學的領域裡，任何學說都得經得起檢驗。雖然燃素說幾乎一誕生就廣受歡迎，但還是有不少質疑，其中最簡單而直接的懷疑就是：「燃素到底在哪裡？」以及「燃素到底是什麼東西？」

關於這一點，史塔爾對燃素的描述是這樣的：

**「燃素是看不見也摸不著的物質，還帶有很小的質量。」**

燃素

所以我可以稱它
「燃素阿飄」嗎？

換句話說，史塔爾認為燃素是一種「氣態」的物質，存在於一切可燃物中。例如，油脂、煤炭和木材含有很多燃素，所以容易燃燒；黃金、石頭不含燃素，就無法燃燒。燃燒時，燃素會從可燃物裡飛出來，並與空氣結合發出光與熱，這就是「火」。所以燃素是「火的要素」，但不是「火的本身」。

**燃素「被找到」了嗎？**

好吧，如果是這樣，燃素應該是可以收集的，只有讓大家眼見為憑，才能真的相信吧！所以為了證明燃素理論的正確性，支持燃素說的科學家們開始瘋狂的尋找燃素，只是忙了快半個世紀，都沒有人真正找到足以讓人信服的燃素。一直到1766年，英國科學家卡文狄西（Henry Cavendish）做了一個實驗，燃素派的科學家們才又重新燃起希望。

卡文狄西發現，把鋅、鐵和錫丟入稀硫酸時會產生大量的氣泡，這些氣泡收集起來是一種無色無味的氣體，但只要碰到火就會開始燃燒，甚至還會爆炸！這項發現讓尋找燃素的科學家們都樂壞了！因為根據燃素說的假設——金屬燃燒、失去燃素後會變成灰燼，灰燼如果重新跟燃素結合，又可以變回金屬。

換句話說，燃素說認為：**金屬＝「灰燼」＋「燃素」**；而在卡文狄西的實驗裡，金屬正是會變成灰燼加某種氣體，剛好可以驗證。

我找到的這個氣體應該就是「燃素」吧！

他找到的其實是「氫氣」啦！

是真的嗎？

**亨利・卡文狄西**
1731～1810
英國物理及化學家

好啦，最後當然沒有找到燃素啦！但因為燃素說能夠解釋很多現象，所以在整個十八世紀都很流行。包括卡文狄西在內的許多化學家，都是燃素說的信奉者。但是，流行不一定就是真理，廣受支持和接納，也只能代表當時大家都還不知道什麼才是真的！

後來，當人們做了愈來愈多的實驗，累積愈來愈多的知識以後，燃素說就變得愈加矛盾。到了1774年，「氧氣」正式被發現後，燃燒的現象終於慢慢真相大白，紅了將近百年的燃素說，也準備走下歷史舞台。

## 快問快答

**1** 古人觀察燃燒會冒出「煙」，就誤以為煙是燃素。我們現在已經知道煙不是燃素了，那煙是什麼呢？

物質在燃燒時，它的成分會被分解、轉化，燃燒後的產物形成了細小微粒、液滴或氣體，飄散到空中，就是我們看到的「煙」。像木材燃燒時的煙，裡面可能含有二氧化碳、一氧化碳、碳的灰燼和小水滴；而香煙燃燒時，會釋出尼古丁、焦油、一氧化碳和多種刺激性氣體，所以許多人聞到二手煙會咳嗽，就是因為呼吸道受到刺激。

**2** 古代的哲學家說「火」是構成世界的元素。但波以耳說，火不是元素，那它到底是什麼東西呢？

火不是一種「物質」，所以當然不是「元素」。嚴格來講，**火是一種能量釋放的形式**——當物質燃燒時，如果有可燃物、助燃物和夠高的溫度同時存在，就會產生火，並以光和熱釋放能量。

## LIS影音頻道 ▶

**【自然系列—化學丨燃燒01】燃燒與燃素說—燃燒東西軍（上）**
十七世紀學術界神人一貝歇爾，提出了新理論，認為物質之所以能燃燒是因為含有名為「油土」的元素，但這個理論在當時卻不被眾人所接受……

**【自然系列—化學丨燃燒01】燃燒與燃素說—燃燒東西軍（下）**
貝歇爾的頭號大弟子史塔爾，進一步用「燃素」來說明燃燒現象，使得本來乏人問津的理論，一夜之間變得聲名大譟……

# 第 5 課

# 氧氣大發現
## 卜利士力

**雖**然現在大家都知道人體無時無刻都在吸入氧氣。不過，「氧」這種氣體，其實很晚才被發現，直至十八世紀，人們才確認氧氣的存在。

我們呼吸的空氣，主要是由氧氣、氮氣、二氧化碳等多種氣體組成的，但在十七世紀之前，多數人以為「空氣就是空氣」、「空氣是一種『元素』」，而且「空氣不會參與化學反應」。

就算煉金術士或化學家們偶爾發現空氣「怪怪」的，出現多種不同的特性，也以為是空氣摻進的雜質在作怪，從未有人懷疑過空氣的組成。

一直到十八世紀，事情才開始有了轉機。

記得嗎？『四元素論』中的水、火、土、氣四大元素，其中『氣』指的就是空氣喔！

救命，我不想複習！

## 排水集氣法促使發現氧氣

十八世紀以前，化學家沒有夠好的裝置來收集氣體，導致氣體常和其他物質混在一起，一點也不純，當然也沒辦法拿來研究特性。但是到了十八世紀，英國出現一位愛好植物的牧師，名叫史蒂芬·黑爾斯（Stephen Hales）發明了「排水集氣法」，後來又被改良成「排汞集氣法」，終於讓那些喜歡研究燃燒現象的大師們，可以把被加熱的東西與產生出來的空氣隔開，得出很純的氣體來進行研究。

**史蒂芬·黑爾斯**

1677～1761

英國牧師

「排水集氣法」對當時的化學研究是大功一件。但是很可惜，黑爾斯也被舊有的理論框限住了，認為凡是用這種裝置收集到的氣體「都是空氣」，失去了發現新氣體的大好機會。

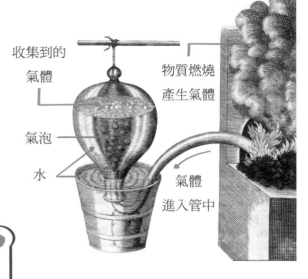

圖為黑爾斯發明的排水集氣法。右邊爐中燃燒的氣體，會順著管子，進入左邊裝滿水的瓶子中，然後變成氣泡上浮，集中在瓶子的上端。這種裝置可以用來收集化學反應過程中產生的氣體。

收集到的
氣體

物質燃燒
產生氣體

氣泡

水

氣體
進入管中

**卡爾・維廉・舍勒**

1742～1786

瑞典化學家

是什麼氣體這麼衰被叫做「劣質氣」呢？

「劣質氣」指的是氮氣。因為氮氣不活潑，既不能燃燒，又很難與其他物質發生反應，所以才被稱為「vitiated air」，有「劣質」或「無效」的意思。

在人類的歷史上，每一次有新技術的重大突破，就會帶出一長串各式各樣的新發現。而氧氣的發現，正是受惠於排水集氣法的出現。

不過，翻開許多書籍，提到氧氣的發現者，說的大多是英國的化學家約瑟夫・卜利士力（Joseph Priestly）。但事實真是如此嗎？實際上，有人早卜利士力一步發現了氧氣，只是運氣不好，最大的光環便落到卜利士力的頭上去了。那位倒楣的化學家就是瑞典的藥劑師卡爾・維廉・舍勒（Carl Wilhelm Scheele）。

1771年，舍勒加熱軟錳礦、硝酸鉀或氧化汞的時候，得到一種氣體。這種氣體會幫助燃燒，所以他稱它為「火氣」。他還發現，「火氣」和「劣質氣」都是組成空氣的一部份，而且火氣約占空氣的五分之一。

他把這個發現寫入《論空氣與火的化學》一書中，可惜出版社卻到1777年才出版，害他的發表時間輸給了卜利士力（Joseph Priestley）發現氧氣的1774年。

# 橡皮擦、汽水與「失燃素空氣」

約瑟夫・卜利士力
1733～1804
英國牧師、化學家、教育家

「我發現一種很適合抹去黑色鉛筆痕跡的材料。」

1770年，博學多聞的卜利士力博士如此寫道。這種材料就是來自南美洲橡膠樹的樹液——橡膠。後來有人把橡膠切成小方塊在市場上販賣，大大受到歡迎，這就是直到現在我們都還在使用的「橡皮擦」。

除了橡皮擦以外，我們現在常喝的「汽水」，也是卜利士力的發明。當他在英國約克郡當牧師的時候，教會隔壁剛好是一間釀酒廠，他經常用啤酒醱酵所產生的氣體（就是二氧化碳）來做實驗，後來竟然發現這種氣體能溶於水，喝起來還有著清新的口感，這也就是今日汽水的由來。

不過，卜利士力最重要的發現，既非橡皮擦也不是汽水，而是與地球上所有生命都息息相關的——氧氣。

1774年8月1日那一天，卜利士力正好拿著一個大凸透鏡，把日光聚焦在試管上，想加熱封在試管裡的各種物質，看看它們受熱時會不會產生出氣體。

結果，輪到加熱汞灰（也就是氧化汞）時，真的冒出了一股氣體。他本來以為，這不過是一般普通的空氣。但後來他注意到許多不同：

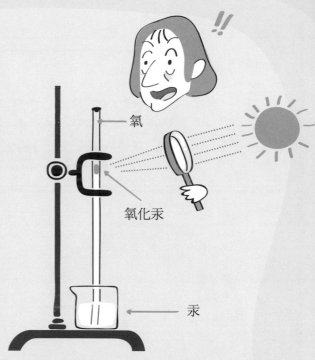

氧

氧化汞

汞

**「蠟燭在這種空氣中燃燒光焰耀眼，紅熱的木炭更是火花四射」。**

他決定把小老鼠放進這種空氣裡試試看。結果沒想到，小老鼠在這種空氣中存活的時間，竟然是同體積空氣中的兩倍！最後他更拿自己來做實驗，發現聞這種氣體還能讓人身心舒暢！

哇，真舒服！

你一定以為接下來的劇情就是——卜利士力後來將這種氣體定名為「氧氣」，並被寫進發現氧氣的歷史中。但是，氧氣的發現並不像我們所想的那樣一步到位。這是因為，卜利士力和當時的許多化學家

一樣，都是從小學「燃素說」長大的（別忘了，燃素說從十七到十八世紀，獨佔鰲頭將近一百年），所以他很自然而然的就拿出燃素說來推論自己新發現的這種空氣。

---

**燃素說假說**

● 可以燒的東西裡都含有燃素。

● 物質燃燒時，會把燃素釋放到空氣中。

● 但是吸飽了燃素的空氣，就不容易再吸收新的燃素。

● 吸飽燃素的空氣不容易幫助燃燒。但缺乏燃素的空氣，反而能大量吸收燃素，所以能幫助物質燃燒。

---

基於燃素說的假設，卜利士力認為，既然這種氣體能讓燃燒變得旺盛，那麼它一定也是「缺乏燃素」的空氣吧。於是，他就按這個想法幫這種氣體取名為「**失燃素空氣**」，而這也就是氧氣甫問世時的名字。

蛤？原來「氧氣」不是一開始就叫做氧氣啊？

這算哪門子發現「氧氣」嘛！

### 從失燃素空氣到發現氧氣

雖然「失燃素空氣」現在聽起來有點莫名其妙，但至少，卜利士力的確是取得純淨的氧氣，並且對它進行研究的第一人！其實舍勒也跟卜利士力一樣，脫離不了燃素的舊思維，老想用燃素的理論來合理化自己發現的「火氣」，所以一直沒有想到眼前發現的這種新氣體，會是能顛覆過往解釋燃燒現象理論的重大發現。

這就如同德國的哲學家恩格斯（Friedrich Engels，1820～1895）所說的：「從錯誤的前提出發……循著錯誤的路徑前進……結果往往當真理都來到鼻尖上的時候，還是沒有辦法認出真理。」

還好，我們有與真理擦身而過的舍勒和卜力士利，但也有一眼就能洞穿真理的拉瓦節（Antoine-Laurent de Lavoisier）。發現氧氣這件事到了法國的大化學家拉瓦節手上，就成了一件轟轟烈烈推翻百年燃素說的大事。感謝真理！感謝拉瓦節！

舍勒和卜力士利好可憐。

這個故事告訴我們：「做人做事不能受限於既定價值或刻板印象呀！」

# 扳倒燃素說的化學革命

安東萬-洛朗·德·拉瓦節

1743～1794

法國化學家

　　在歐洲科學萌芽的時代，英國出現了許多傑出的科學家，像是牛頓、波以耳等人。但在隔著英吉利海峽的法國，卻沒有太多進展，直至拉瓦節出現，才讓沉寂已久的法蘭西民族，有了可以說嘴的人物。

　　1768年，當二十五歲的拉瓦節進入法國科學院，就已經是個思路清晰、講究精準，而且勇於挑戰保守老觀念的年輕人。也因為他這種不願輕易向舊思維妥協的特質，之後的二十五年，拉瓦節在整個科學界引起一波波巨大震盪。其中一個令人驚豔的成就，就是以「**氧化理論**」推翻了「燃素說」。

　　1772年，拉瓦節進行了一連串的燃燒實驗（別忘了，燃燒是那個年

代最盛行的火熱話題）。結果他發現，燃燒後的「磷」重量增加了，而且，增加的重量和空氣減少的重量竟然一樣！所以他認為這是因為「空氣與磷結合」造成的。之後，他再接再厲測量這些空氣的體積變化，又發現怎麼燒都只會減少1/5的體積，所以他確定了：

**「空氣可能由多種氣體組成，而其中一種，就是會參與物質燃燒的氣體。」**

1774年，拉瓦節又燃燒了錫跟鉛。他把一小片錫或鉛密封在容器裡加熱，這時整體的重量並沒有改變。但是，等到他打開容器蓋子，外面的空氣快速被吸進去以後，整體的重量就變重了，而且，**增加的重量竟然剛好就是錫或鉛變成灰所增加的重量。**

後來他果然發現金屬燃燒以後所形成的灰，就是金屬與空氣的化合物。換句話說，金屬燃燒並不是放出燃素，而是與空氣結合後，產生了新的化合物。而為了證明金屬究竟是與空氣中的哪一種氣體結合，最好的方法，就是把這種氣體從金屬的灰中分解出來，但是，這又該怎麼做呢？

這下子，拉瓦節卡住了。

76

失燃素空氣是這樣發現的……

卜利士力

趕快偷學！

這時，才剛發現「失燃素空氣」（氧氣）不久的卜利士力恰巧來到巴黎，和拉瓦節參加了同一場宴會。他驕傲地向來賓們介紹了他自己從氧化汞得到「失燃素空氣」的經驗。

於是，拉瓦節回家後也馬上展開加熱氧化汞的實驗，最後，他宣稱終於發現想尋找的那種空氣，由於這種氣體助燃的能力很強，也很適合呼吸，所以他把它命名為「純粹空氣」（或真實空氣）（但其實，不就是卜利士力介紹給他看的「失燃素空氣」？），幾年後改名為Oxygen，也就是現在我們所說的「氧氣」。

這一連串強而有力的實驗，組合成了拉瓦節的「氧化說」——**「物質燃燒不是釋放出燃素，也非分解反應，而是與空氣中的氧氣結合。」**

和虛無飄渺、眾人始終找不到的燃素比起來，氧是非常具體的物質，它不但能收集，也能測量，還可以解釋燃素說無法解釋的現象。因此，稱霸百年的燃素說就此被推翻；它的重要性在科學史上也被譽為是一場「化學革命」。

舍勒
1771年發現氧氣，實驗結果卻到1777年才發表。

卜利士力
1774年發現了「失燃素空氣」並發表。

拉瓦節
1774年聽完卜利士力的實驗結果後，1775年宣稱自己發現氧氣。

　　其實拉瓦節能「發現氧氣」，是奠基在許多同期化學家的基礎上。可惜的是，他從來不提卜利士力曾經為他解說如何製備氧氣，也不承認舍勒有寫過信建議他取得氧氣的方法。為此，不少人責怪他很自私，想獨攬發現氧氣的功勞。但不可否認的是，舍勒和卜利士力雖然比他早一步純化出氧氣，卻都跳不出燃素說的大框框，看不透真實的科學意義。

　　只有拉瓦節，他獨具慧眼，看出其中蘊含的重大意義，所以才能開創出顛覆過往學說的「化學革命」！

**快問快答** ‖‖‖‖‖‖‖‖‖‖‖‖‖‖‖‖‖‖‖‖‖‖‖‖‖‖‖‖‖‖‖‖‖‖‖‖‖‖‖‖‖‖‖‖‖‖‖‖‖‖‖‖

**1** 卜利士力發現了氧氣,也發明了汽水。那為什麼他不試試看用「氧氣」做汽水呢?

說不定他真的試過了呢!只不過,二氧化碳比氧氣容易溶於水。在一般的室溫下,溶解度是氧氣的二十幾倍。一般製造汽水是將二氧化碳「加壓」,使其大量的溶進水裡,所以當我們打開瓶蓋時,才會有那麼多的二氧化碳變成小汽泡冒出來。如果硬要換成用氧氣做汽水,施加的壓力要更大,花費的成本會很高,喝起來也不見得會比較好喝。

**2** 卜利士力是化學家,怎麼會發明橡皮擦呢?

卜利士力不只是化學家,還是很活躍的哲學家、牧師、教育家和政論家……總之,他是一個很活躍、充滿好奇心的人,一生大約寫出了一百五十多本著作。據說,當他發表《電的歷史與現前狀態》一書後,決定要另寫一本適合一般大眾閱讀的版本,可是找不到人幫他畫插畫,只好試著自己來。在他塗塗抹抹修修改改的過程中,發現了凝固的印度橡膠,竟然可以輕鬆的擦去筆跡,後來就成了最早的橡皮擦。

**3** 卜利士力為什麼會想到用小老鼠來試驗他收集到的氧氣呢?

其實早在卜利士力發現氧之前,他就已經陸續用過老鼠和植物來測試空氣了。

當時，卜利士力收集到不同的空氣後，最常測試的兩個項目，就是**能不能燃燒、動植物能不能在其中存活**。他曾有一系列知名的實驗：

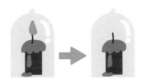

蠟燭在密閉的空氣中
很快會熄滅

如果加進植物，
蠟燭可以持續燃燒幾天

老鼠在密閉容器中一段
時間後，會因為無法呼吸而死

如果同時加入老鼠和植物，並且
照光，會大大拉長老鼠存活的時間

卜利士力認為植物會「釋放某些氣體來修復老鼠的損傷」。而我們現在知道，這就是「植物行光合作用釋放氧氣」。

## LIS影音頻道 ▶

**【自然系列─化學丨燃燒02】燃燒與氧化理論─燃燒東西軍II（上）**
超受歡迎的燃素說，其實有巨大破綻！還好十八世紀有個講求實驗精準的法國科學家拉瓦節，找到影響了燃燒的關鍵──氧氣。

**【自然系列─化學丨燃燒02】燃燒與氧化理論─燃燒東西軍II（下）**
拉瓦節透過實驗發現了氧氣，但卻碰到了下一個難題，那就是為什麼金屬碰到酸會產生氣體，金屬氧化物卻不會呢？一起來看看他怎麼找到答案的吧！

# 第 6 課

## 質量守恆定律

### 拉瓦節

**在**拉瓦節之前，化學還稱不上是一門科學。雖然，波以耳已經大聲疾呼——化學應該脫離煉金術，獨立成為一門科學，更在《懷疑派的化學家》一書中，重重踢中煉金術的要害（見第三課）。

但身負重傷的煉金術，卻還在苟延殘喘、臨死掙扎。更何況波以耳說歸說，他自己做實驗的方式，都還帶有煉金術的色彩。一直要到拉瓦節用嚴謹的實驗，確認「質量守恆」的定論，歷時兩千年的煉金術才終於壽終正寢，在歷史的滾滾洪流中敗下陣來。

### 定量實驗打敗煉金術

壓垮駱駝的最後一根稻草到底是什麼？那就是拉瓦節的「定量」實驗。

為什麼定量實驗可以壓垮煉金術呢？是因為『量』很多嗎？

聽起來就不可能……

讓我來告訴你們吧！

原來，煉金術士們與拉瓦節所做的實驗，最大差別在於**煉金術重視「定性」**，但拉瓦節則重視**「定量」**。什麼是定性和定量呢？定性的**「性」**，指的是**性質**；定量的**「量」**，則是**重量、質量、數量或體積**等等的**變化量**。當煉金術士做實驗時，主要是用感官觀察實驗產物性質的變化，而不管它們變化了多少，所以只有「定性」。但是，拉瓦節卻認為這種方法只看到了「現象的變化」，缺乏實際的數據記錄，很容易被感官誤導，所以他才會強調做實驗時必須重視「定量」。

拉瓦節最著名的「水生土」實驗，就是一個以定量數據推翻舊理論的最好例子。

# 天平是我最好的朋友

安東萬-羅倫・德・拉瓦節

*1743～1794*

法國化學家

十八世紀之前，許多人都相信「水能變成土」。從今天的眼光來看，這種想法很不可思議。但是，早在古希臘的亞里斯多德提出的「四元素說」裡就有水土互變的說法。

所以，信奉四元素說的煉金術士們，始終守著這個觀念不放；尤其是每當他們在玻璃瓶中長時間加熱水，往往在瓶子裡發現白色沉澱物：

「瞧，水轉換成土了！這些沉澱就是證明！」煉金術士總是自然而然的搬出四元素說來解釋，甚至連波以耳也曾經支持過這個觀點。

其實，這就是一種**「定性」**的觀察，也就是只注意到了「水從液態變成白色固體」的現象，就簡單得了出「水生出土」的結論。

但是，「水真的可以變成土嗎？」拉瓦節對這個觀點表示懷疑。

「光用看的不準。至少我得設計個實驗，來確認它的正確性！」拉

**鵜鶘瓶**

瓦節想。

於是在1770年，年輕的拉瓦節設計了一組實驗；他把已經蒸餾過八次的水（蒸餾八次是為了得到非常純的純水）放進一種叫做「鵜鶘瓶」的玻璃瓶裡。

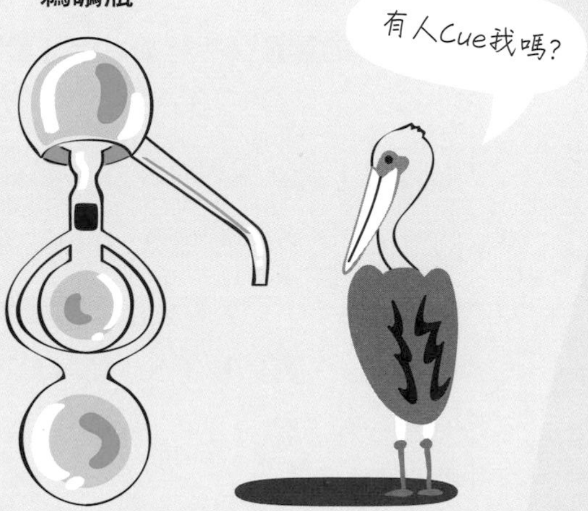

這種玻璃瓶是當時常用的蒸餾瓶，因為長得像鵜鶘，所以被叫做鵜鶘瓶。但是這不是重點，重點是，鵜鶘瓶還沒裝水前要先秤重；裝了水以後，還要加熱驅走空氣後密封，然後再秤重一次。

這就是拉瓦節做實驗，凡事要**「定量」**的習慣，他相信研究**「量的變化」**，會比**「性質的變化」**透露更多祕密。而這也是他與其他煉金術士最大的差別。

接下來的三個月。他讓密封瓶子裡的水，持續保持在60～70℃，整整加熱了101天。結果發現，水中確實出現了小片固體的白色沉澱物。

「但是，這就是他們所說的土嗎？」

「待我量一量再下定論還不遲……」拉瓦節想。

於是，拉瓦節拿出他最倚重的天平，把各個重要數據都量一遍。他把水和白色的懸浮物倒出來，擦乾蒸餾瓶後稱重。結果發現：

1　水的重量沒減少。

2　瓶子的重量卻減輕了。

3　瓶子減輕的重量幾乎等於白色沈澱物的重量

「我懂了！這根本不是什麼水生土嘛！」拉瓦節心想，如果他量得沒錯的話，瓶子減輕的原因，應該是因為長時間被加熱，使得瓶子的一部分被水溶掉了，才會變成白色的沈澱物。

「所以瓶子失去的重量，才會等於白色沈澱物的重量啊！」

就這樣，拉瓦節得出「白色的沈澱不是水生土」的結論。他把這個強而有力的結果，發表在《論水的本質》論文裡。後來，一位來自瑞典的科學家也證實，這種白色沉澱物的確來自玻璃蒸餾器本身。

從這裡，我們可以看出「定量」實驗的重要性。如果不是因為拉瓦節實際量測了水、瓶子和白色沈澱物三者的重量，就無法看出其實是「水溶解了玻璃」的祕密。

同樣的現象、不同的實驗方法，就讓拉瓦節得出和煉金術士完全不同的結論。這可是繼波以耳《懷疑的化學家》後，推翻四元素說的強力實驗，也讓當時的科學界見識到「定量」——真的很重要。

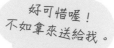

什麼？
鑽石也拿來燒，
太浪費了吧？！

好可惜喔！
不如拿來送給我。

如何？看出「定量」實驗的威力了嗎？定性只是描述實驗時看到的物質變化，如果加上定量，就能推論出科學變化背後的真正原因。

兩年後，拉瓦節又進行了有名的「鑽石加熱」實驗。當然囉，照例還是要定量。定量、定量、定量，因為太重要了，所以要說三次。

# 最昂貴
# 的化學實驗

在十七、十八世紀之間，化學家們很喜歡燒「珠寶」。沒錯，你沒聽錯，就是珠寶，像是鑽石、紅寶石、藍寶石等價值連城的寶石。

過去曾經有兩個義大利的化學家把紅寶石和鑽石丟進大火裡燒，結果紅寶石沒事，鑽石卻完全消失不見！結果接下來的幾十年裡，好多化學家都在燒鑽石！他們不是錢太多，而是想找出鑽石到底是像熱鍋上的冰一樣「揮發」了，還是被火「燃燒、分解」掉了？

**皮埃爾・麥格**
1718～1784
法國化學家

這對珠寶商來說尤其值得研究，因為他們原本相信：火能燒掉寶石上的雜質，讓寶石的價錢更好。但如果鑽石遇到火就會減重，甚至消失的話，就不能用火處理。所以珠寶商才願意贊助這些實驗，不然的話，化學家哪裡負擔起呀！

有一天，拉瓦節和兩位朋友——皮埃爾・麥格（Pierre Macquer）和路易斯・克勞德・德伽西科特（Louis Claude Cadet de Gassicourt）聚在一起討論如何徹底解決這個問題。最後他們決定，要用三種不同的實驗方式燒鑽石：

**路易斯・克勞德・**
**德伽西科特**
1731～1799
法國化學家

**1** 直接在空氣中加熱

**2** 密封在裝滿白堊土（粉筆的主成分）的管子裡加熱

**3** 密封在裝滿木炭的管子裡加熱

　　這些實驗的假設是——如果鑽石會「遇熱揮發」，那麼在三個實驗中應該都會「消失」。但如果鑽石會伴隨著空氣「燃燒」，那麼在空氣和白堊土中加熱的鑽石會被燒光，但是木炭那管的鑽石應該可以完好無缺，這是因為在大火的高溫之下，木炭會先燃燒、釋放出燃素[1]，讓管子裡的氣體吸飽燃素，鑽石就沒有辦法再燃燒了。而直接在空氣中，或與不可燃白堊土一起加熱的鑽石，則會直接「被火燃燒」了。

拉瓦節利用幾面巨大的透鏡，聚焦日光來加熱鑽石。透鏡的直徑可以大到1.32公尺。實驗時，他還戴著十八世紀流行的墨鏡，以防火光刺眼。

**拉瓦節**

註[1]：拉瓦節進行燃燒鑽石實驗時，尚未推翻燃素說，所以他此時提出的假設仍以燃素說為基礎。

最後實驗結果終於出爐——直接在空氣裡加熱和跟白堊土放在一起的兩顆鑽石變黑了，而且重量減輕了一部分；但放進木炭裡的那顆，雖然實驗引起了一場大火，但提供鑽石的珠寶商最後竟然在餘燼中，找到完好無缺的鑽石！

可見，鑽石真的是可以燃燒的！拉瓦節和另兩位化學家朋友，用他們的太陽能加熱器和天平，釐清了這個跨世紀的難題。

不只如此，這個實驗還讓拉瓦節發現——**等重的木炭和等重的鑽石燃燒後，可得到等重且相同體積的同種氣體。**所以根據這個定量的結果，拉瓦節下了一道結論：**「鑽石和木炭的成分是一樣的！」**這個實驗是不是很威呢？雖然，很多女生聽到以後，應該都會覺得把鑽石拿去燒的科學家們腦頭殼壞去了吧？！

除了天平以外，做實驗所向無敵的拉瓦節還有一位親密戰友，陪著他做了無數實驗，但她卻常常像拉瓦節的影子一樣，被世人隱形、遺忘，或是草草幾筆代過，那是什麼人呢？給你一個提示——「一個成功的男人背後，總有一個偉大的……」沒錯，你答對了，那就是拉瓦節的愛妻瑪麗安‧皮埃爾萊特（Marie-Anne Pierrette Paulze）。

仔細看看下面這張圖，你找到「她」了嗎？

就是我啦！

# 隱藏版的化學家

**瑪麗安・皮埃爾萊特**

1758～1836

法國化學家

　　1763年，出身於富裕的法律世家的拉瓦節，終於順著老爸的意拿到法律學位。接下來，他只要繼承家業、成為一位開業律師，就能繼續人生勝利組般的富裕生活。

但偏偏，拉瓦節卻只當了一陣子律師，就決定轉行研究化學。不過，從事化學研究很燒錢，拉瓦節身為一名普通的「上班族」，哪裡會有這麼多錢做實驗和請助手呢？

　　聰明的拉瓦節自然有策略。首先，他決定轉行，應用他先前的法律知識，成為私人徵稅公司的高薪「徵稅員」。原來當時的法國，把收稅工作一律「外包」給私人的徵稅公司，徵稅公司只要把收來的稅，上繳固定金額給國家，剩下的款項就成為公司利潤。

　　這種合法的討債集團，自然是最賺錢的工作。坐領高薪的拉瓦節，除了得到購置儀器的資金，還找到免費的實驗助手──1771年，拉瓦節與公司同事的女兒瑪麗安結婚，當時瑪麗安才年僅十三歲！

　　不過，經過幾年拉瓦節親自帶領的化學薰陶，這位小妻子很快就成為他最重要的實驗助手與研究夥伴。瑪麗安不但會操作所有拉瓦節的實驗，也跟丈夫一樣注重定量與細節。不僅如此，由於當時照相機還沒有發明，她甚至拜師學畫，把實驗的設備、方法與過程用繪畫詳細記錄下來。

　　多年接觸化學研究之後，瑪麗安幾乎已成為獨當一面的化學家。精通英文的她，還經常代替丈夫閱讀大量的英文論文，再進行翻譯、註解，並加上自己的意見後再給拉瓦節看。據說，拉瓦節能夠成功的推翻燃素說，也是因為瑪麗安先找出燃素說的弱點，才決定進行燃燒研究並提出氧化理論。

　　當年嫁給拉瓦節的小女孩瑪麗安，就像一位「隱藏版的化學家」，輔佐著丈夫的研究。她無疑是拉瓦節在化學研究路上不可或缺的重要夥伴。

我也說過很像質量守恆定律的話啦！

米哈伊爾‧瓦西里耶維奇‧
羅蒙諾索夫

1711～1765
俄國化學家

講完了拉瓦節的家庭生活，言歸正傳回到他的研究吧。**「質量守恆定律」**是拉瓦節帶給後世最具有影響力的理論之一，雖然，之前就有化學家提出類似的概念，像是俄國化學家羅蒙諾索夫（Mikhail Vasilyevich Lomonosov）在1750年就曾說：「自然界的一切變化都遵循著相同的道理──一個東西少掉了多少，就會從另一個東西上補回來。」

但是差別在於，羅蒙諾索夫的話並沒有經過嚴格的實驗證明。而拉瓦節卻自始至終都用嚴謹的實驗設計，向世人展現著質量守恆的重要性。他提出的質量守恆定律有以下三個重點：

● 任何一種在密閉環境進行的化學反應，反應前後的質量總和不變。

● 若進行化學反應後質量減少，代表產生的物質散失在空氣中。

● 若進行化學反應後質量增加，代表有外界的物質參與反應。

拉瓦節在化學領域提出的質量守恆定律，直到今天的化學界都還適用，所以現在你知道拉瓦節有多重要了吧！不過男主角的故事還沒講完呢，拉瓦節對化學世界的貢獻實在太多了，所以下一課我們還要繼續講他的其他重要發現。欲知後事如何，請見下回分解囉！

## 快問快答 ||||||||||||||||||||||||||||||||||||||||||||||||||||||||||||||||||||||||||||

**1** 第三課介紹波以耳是「化學之父」，但是我在其他書上曾看過拉瓦節也被稱為「現代化學之父」，到底誰才是真的「化學之父」呀？

哎唷，「現代化學之父」跟「化學之父」不一樣，多了「現代」還是有差別的。波以耳強調化學要脫離煉金術，催生了化學成為獨立的科學。但是，拉瓦節更是把精密測量帶進化學實驗，讓化學實驗建立在實際的數據變化上，這是推動科學現代化不可或缺的一大進步。無論是「化學之父」波以耳，或「現代化學之父」拉瓦節，都是實至名歸喔！

> 這本書還稱拉瓦節的太太瑪麗安是「現代化學之母」呢！

> 這些都是後人取的，顯示瑪麗安對化學也很有貢獻喔！

化學書

**2** 「質量守恆」是拉瓦節留給後世影響力最大的理論，為什麼質量守恆這麼重要呢？

**因為質量守恆定律，不只適用於化學，還適用於整個自然界！**而且，質量是很容易測量的數據，只要測量質量的變化就能幫助科學家找出問題；比方說，加熱20公克的灰石，後來卻剩下18公克，就能根據「質量守恆」定律推論，灰石加熱後應該有2公克變成氣體散到空氣中了。

**3** 化學物質在產生變化時，為什麼是「質量」守恆，而不是「體積」守恆，或「重量」守恆呢？

若用現在的觀點來看，化學反應的過程中原子會重新排列，但不會消失，所以原子帶有的**「總質量」**不會變化，質量當然會守恆。但是**「體積」**不一樣，由於原子間的距離和排列的方式，會隨著物質變化而變化，造成反應物和生成物的體積不會守恆。

至於**「重量」**，由於同一種物質在不同的重力場中，就會有不同的重量（例如在地球重60公斤的人，到了月球只重10公斤），你覺得重量還會守恆嗎？

組個
「月球減重旅行團」
好了……

這麼好？！
我也要去月球！

# LIS影音頻道 ▶

【自然系列─化學｜物質探索04】質量守恆與化學命名法─斷頭台下的金頭腦

十八世紀的法國，出了一位舉世聞名的科學家，他做的每一項實驗都講求精準，並在化學史上寫下嶄新的一頁！然而，在化學界呼風喚雨的他卻在風起雲湧的法國面臨了人生最大的劫難……

# 第子課

## 統一命名大作戰
### 拉瓦節和他的朋友們

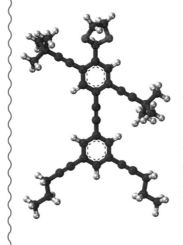

**對**許多人來說，學化學時，最令人頭痛的莫過於要背化學符號和物質的名稱。化學世界用的字，像是「氙、硒、溴、銠……」就像是火星文跟土星文的混血文字——看第一眼唸不出口，好不容易會唸了，在日常生活中又根本用不到。化合物的名字唸起來更是拗口，尤其是有機化合物，更是難懂又難念！

俗稱「奈米小人」的化合物，全名就叫做「2-(4-{2-[3,5-二}-2,5-二(1-炔-1-甲基-3,3-二甲基丁基)苯基)-1,3-二氧雜環戊烷」，唸起來簡直就像繞口令一樣！

世界上最長的英文單字，就是一種蛋白質的名字。這種蛋白質的正式名稱共有18萬9819個英文字母，光是要把它的名字唸完，就要花三個半小時！還好，為了不浪費寶貴的時間和口水，專家幫它取了一個只有五個字母的名字——Titin，中文叫做「肌聯蛋白」。

媽呀，這什麼東西？名字有夠長……

### Titin

Methionylthreonylthreonylglutaminylarginyltyro
sylglutamylserylleucylphenylalanylalanylglutami
nylleucyllysylglutamylarginyllysylglutamylglycyla
lanylphenylalanylvalylprolylphenylalanylvalylthr
eonylleucylglycylaspartylprolylglycylisoleucylglut
amylglutaminylserylleucyllysylisoleucylaspartylth
reonylleucylisoleucylglutamylalanylglycylalanylas
partylalanylleucylglutamylleucylglycylisoleucylpr
olylphenylalanylserylaspartylprolylleucylalanylas
partylglycylprolylthreonylisoleucylglutaminylasp
araginylalanylthreonylleucylarginylalanylphenyla
lanylalanylalanylglycylvalylthreonylprolylalanylg
lutaminylcysteinylphenylalanylglutamylmethiony
lleucylalanylleucylisoleucylarginylglutaminyllysyl

這是肌聯蛋白英文全名的一部分，總共得要20頁才能寫完全名呢！

**化學名稱混亂的年代**

　　儘管如此，現代學生還是比起過去的人來得幸福。至少我們現在學化學，只需要記憶一套化學符號和化學名稱，而且不管說出來或寫出來，所有學過化學的人都聽得懂也看得懂。

　　但是在十八世紀之前，化學的符號和名稱並不統一。化學家使用的專業用詞不但同時有好幾套，還常常定義不清、彼此混淆。而且化學物質的名字，往往和它的實際成分不相干，要把它們全部記清楚，真是不容易。就像說有一個人大家統一叫他「阿貓」，那你只需要記得「阿貓」這個名字就好；但如果每個人都幫他取不同的名字，那你就得記得「阿貓、阿狗、阿信、阿財……」一大堆名字，是不是很累呢？

　　還有，請你看看以下這張符號表：

| | | |
|---|---|---|
| 銻 | 硝石 | 肥皂 |
| 火 | 硼砂 | 砷 |
| 水 | 醋 | 水銀 |
| 酒精 | 石灰 | 礬油 |

　　看起來有沒有想去尋寶的感覺？這些是古代歐洲煉金術士所使用的神祕符號。為了不讓自己辛苦得到的煉金技術落入外人之手，他們常常故意使用別人看不懂的符號來記錄實驗過程。不同門派的煉金術師，使用的符號或化學字眼可能完全不同，想要學習煉金技術或閱讀他們著作的人，都需要重新學習各種不同的代號。

再來說說化學。化學剛開始告別煉金術的時候，也沒有比煉金術好到哪裡去。散落在歐陸各國的化學家，各彈各的調，同一種物質名字可能有百百種！好啦，這樣說是有點誇張，但同一種物質光是不同語言就有好多種名字了，要是再加上別名，那要完全認識它們實在是有夠困難！

更何況，很多名字跟物質本身的成分根本沒有關係！請看下表：

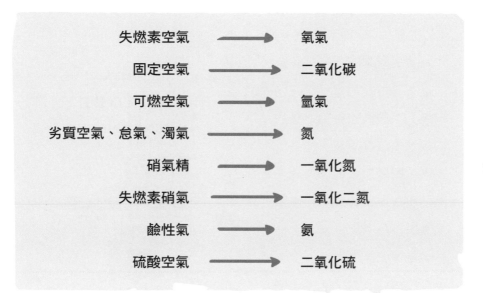

| | |
|---|---|
| 失燃素空氣 ➡ | 氧氣 |
| 固定空氣 ➡ | 二氧化碳 |
| 可燃空氣 ➡ | 氫氣 |
| 劣質空氣、怠氣、濁氣 ➡ | 氮 |
| 硝氣精 ➡ | 一氧化氮 |
| 失燃素硝氣 ➡ | 一氧化二氮 |
| 鹼性氣 ➡ | 氨 |
| 硫酸空氣 ➡ | 二氧化硫 |

救命，這也差太多了吧！

這種混亂的命名對於討論化學非常不利，學生們也只能硬著頭皮死記活背，才能掌握各種化學物質的名稱。到了十七、十八世紀，這個問題已經到了令人難以忍受的地步，因為跟古代比起來，這個時代的化學，正以前所未有的速度進步，新的氣體和化學物質愈來愈多，人們極需要有一套簡單、好用且統一的命名方法，才能應付愈來愈複雜的化學世界。

還好就在此時，拉瓦節跳出來了，混亂的化學世界終於看到曙光！這是他除了推翻燃素說、確立質量守恆定律外，另一項重大貢獻。

# 化學世界之
# 一統天下

在太太瑪麗安的支持與協助之下，拉瓦節除了研究化學之外，還能無後顧之憂的投入許多公共事務。他是科學家，同時也是律師、政治家、財政與軍火專家、農學家，以及慈善家。據説，他每天早上六點起床，先在家研究化學到八點，然後出門從事白天的各項事業；晚上七點回到家後，又重新投入化學研究直到十點。而他最喜愛的時光則是禮拜天，因為他能一整天都沉浸在化學實驗中。

MÉTHODE
DE
NOMENCLATURE
CHIMIQUE,

Proposée par MM. DE MORVEAU,
LAVOISIER, BERTHOLET,
& DE FOURCROY.

ON Y A JOINT

Un nouveau Système de Caractères Chi-
miques, adaptés à cette Nomenclature,
par MM. HASSENFRATZ & ADET.

A PARIS,
Chez CUCHET, Libraire, rue & hôtel Serpente.

M. DCC. LXXXVII.
Sous le Privilège de l'Académie des Sciences.

1787年出版的《化學命名法》

畢竟，他的最愛除了瑪麗安，仍舊是化學。

所以，當化學世界因為命名法陷入一片混亂時，拉瓦節會適時的挺身而出，好像也是想當然爾的事。

當時的化學界，正進入發現許多新氣體和新物質的新時代。可是命名方式卻沿用混淆不清的舊名字，分散在各種不同的教科書裡。不同國家的科學家，本來就會幫化學物質取不同語言的名字。來自煉金術、礦業或醫藥學等各個領域的專業人士，更是常用不同的術語稱呼同一種物質。

比方像「水銀」，天文界或煉金術界是用羅馬天神的名字為它取名為「mercury」；但希臘文的「hydrargyros」和拉丁文的「hydrargyrum」，則是「水狀的銀」的意思；英文更將水銀命名為「quicksilver」，意思是「活動的銀」……這麼多的名字在不同的論文中出現，經常讓人混淆不清；還有一些是XX油、XX精、什麼XX劑的，更是無法讓人一眼就看出它們的成分究竟是什麼。

這種混亂的局面，已經明顯成為學習和討論化學的障礙了。於是拉瓦節與其他幾位化學家組成「巴黎科學院命名委員會」，開始研究命名的規則。

1787年，拉瓦節與另外三位化學家夥伴出了《化學命名法》一書，希望確定化學命名的規則，書中有以下重點：

**1**

每種物質必須有一個公定的名稱，不可隨便命名。

俗名out！

**2**

元素的名稱要盡可能符合它的特性或特徵。

氫是水(hydro)的生成者，所以命名為「hydrogen」喔！

水　氫

**3**

化合物的名字必須涵蓋它所含的元素。

就像「氫氧化鈉 (NaOH)＝氫 (H)＋氧 (O)＋鈉 (Na)」

**4**

酸、鹼用所含的元素來命名，鹽類則用構成的酸和鹽基來命名。

例如磷酸、硫酸，裡面就有「磷」或「硫」喔！

# 化學命名法

命名好簡單！　　　　　　　　　　命名好重要！

拉瓦節

吉頓・德・莫沃

1737～1816

Louis-Bernard
Guyton de Morveau

孚克勞

1755～1809

Antoine-François Fourcroy

柏瑟列

1748～1822

Claude Louis Berthollet

（另譯為貝托萊）

拉瓦節和其他三個科學家好友，一起確認了
化學命名的原則。

　　這些規定簡單、明瞭，所以《化學命名法》公開以後，馬上獲得巨大迴響，並被翻譯成多國語言，傳播到世界各地。這本書為化學世界建立秩序，也帶來前所未有的條理性與系統性，化學因此進入了一個全新紀元。直到現在，我們都還在使用這套命名規則。

就這樣，除了少數人之外，多數化學家都非常樂意採用這一套新的化學命名方法，這讓原本烏煙瘴氣的化學世界耳目一新。而拉瓦節本人更是以身作則，他取名的化合物最有名的就是「oxy-gen」──氧氣，意思是「酸的生成者」。他之所以會幫氧氣取這個名字，是因為他在酸鹼理論上也獲得重大突破。

不過，這個名字後來卻被發現有部分出錯，反而讓原本風光的拉瓦節，在科學史上被小小的記上一筆。

仙人打鼓有時錯。這點小事不要計較了啦。

## 波以耳發明石蕊試紙

說到這裡，我們不得不先講講人類使用酸鹼的歷史。

其實，打從人類文明發展之初，就已經有了運用酸與鹼的相關紀錄。尤其是古埃及，當時高度發展的染色工藝、冶礦技術，乃至於木乃伊處理方式，都有酸、鹼物質的身影。

不過，雖然人們很早就會使用酸鹼了，但卻不了解酸、鹼到底是什麼？也不清楚酸與鹼之間究竟有什麼關係。

其實，人類對「酸」最原始的描述是：

右手嚐起來有酸味，這就是『酸』。

左手吃起來有苦味，摸起來很滑溜。這就是『鹼』。

不要驚訝，沒錯，就是用「嚐」的。早從遠古時期的農耕時代，人類就習慣用嘴巴分辨土壤的酸鹼性。因為作物要長的好，需要鹼性的土壤，所以人們都會吃吃看土有沒有苦味。當然這種方式現在我們看來非常危險，也很容易中毒，但在沒有任何檢測工具的古代裡，「吃吃看」的確是非常

普遍的方法。

　　直到十三世紀西班牙學者阿諾德・諾瓦（ Arnaldus de Villa Nova，1240～1311）才發現用「石蕊」判定酸鹼的方法。石蕊是一種生長在岩石表面的地衣（地衣是真菌與綠藻的共生體），它的汁液所含的色素，會在酸性中呈紅色、鹼性中呈藍色。十七世紀時，波以耳又找到更多能用來檢驗酸鹼的植物，進一步發揚光大，並把石蕊的汁液塗在紙上烤乾，做出世界上第一張「石蕊試紙」。

太好了，
感謝波以耳，
現在我們不用吃土
就能測酸鹼了！

### 拉瓦節的酸鹼實驗

　　石蕊試紙好棒棒，石蕊試紙好好用！但是，酸鹼的本質到底是什麼？還是沒人知道。直到拉瓦節和瑪麗安開始了他們的酸鹼實驗，酸與鹼的神祕面紗才稍稍向世人揭開。

　　拉瓦節發現，只要把碳、硫、磷等非金屬元素燃燒、氧化後溶於水，就會變成「酸」；而將金屬元素燃燒、氧化後溶於水，就會變成「鹼」。所以他推論：「氧」是產生酸、鹼的重要關鍵。而且酸裡都含有氧，因此他將氧按新的化學命名規則──**「元素的名稱要盡可能符合它的特性或特徵」**，定名為**「oxygen」**，意思就是**「酸（oxy-）的生成（-gen）者」**。

　　他也依**「酸、鹼用所含的元素來命名」**之規則，由所含的元素來為不同的**「酸」**命名，像是是**碳酸、磷酸、硫酸**等等。

　　拉瓦節用強而有力的實驗根據和邏輯推理，令當時的科學家們信服他的新理論。但是，以我們現在的觀點回頭去看，其實拉瓦節的酸鹼理論並不正確，因為使溶液表現酸性的是**「氫離子」**，而且像鹽酸（氯化氫，$HCl$）一類的「無氧酸」，根本就不含氧！

　　但是，有句話說「瑕不掩瑜」，意思是玉上面的幾個小斑點，無法遮蓋整塊玉的完美光澤。拉瓦節對化學世界的貢獻，也是遠遠大過無心犯下的

小錯誤。他，還是化學世界的巨人，從我們用了三堂課才講完他的豐功偉業可以得知。

只可惜，這位巨人身影偉大，卻不長壽。1789年，法國爆發了大革命。五年後，革命的怒火就燒到曾為國王徵稅的拉瓦節身上。這年的拉瓦節才五十歲；當暴徒衝進拉瓦節的住所時，他還沉浸在化學研究和實驗藥品之間。1794年5月8日，拉瓦節被送上斷頭台，十分坦然的面對這一切。據說，他在死前對劊子手說：

「麻煩您幫我一個忙好嗎？」

「我想知道砍下來的腦袋還能活多久。所以待會兒我會一直眨眼睛，請你數數我能眨幾次？謝謝你……」

最後，他總共眨了十五次，而這也是他人生的最後一項實驗。

雖然正式歷史並沒有記載這一個場景，但依然讓我們瞥見拉瓦節對實驗、知識與「量化」的堅持。當拉瓦節的頭在斷頭台被砍下來以後，他的好朋友數

1789年爆發法國大革命。1791～1794年，激烈的革命黨人在巴黎設立斷頭台，處決了七萬多個「反革命人士」。曾經擔任徵稅官的拉瓦節，在當時的人民眼中，是為國王橫徵暴斂的邪惡角色，所以就算他是公認的傑出化學家，仍被無情的送上斷頭台。

學家拉格朗日（Joseph Lagrange，1736～1813）難過又惋惜的說：

「僅僅一瞬間，我們就砍下了他的頭，但如此聰明的腦袋卻是一世紀都未必能出現一個呀！」

可惜在歷史裡沒有如果，但拉瓦節如果真的能活下來，正在蒸蒸日上的化學世界可能又是另一番繁榮的景色了吧！

## 快問快答

**1** 拉瓦節制定「化學命名法」，規定元素名稱要盡可能符合它的特性或特徵。但是，由誰來幫新的元素命名呢？

過去，元素一般是由發現元素的科學家來命名，像金屬元素鈉和鉀就是由發現者戴維（Humphry Davy，1778～1829）命名的。不過到了近代，新元素多半是一整個實驗室裡的科學家共同發現，所以像是2016年新發現的元素「鉨」（Nihonium，Nh），就是由日本九州大學的實驗室命名的。

**2** 新元素被命名時不是中文，那中文的元素名稱，最早是誰翻譯或制定的呢？

是清朝末年的科學家徐壽。徐壽引進西方的化學，在翻譯相關著作時，創造了「化學」這個中文名詞。徐壽還制定了漢語的元素命名原則。像是古代就有的金、銀、銅、鐵、硫、錫就沿用舊名；而鈉、鉀、鈣、鎳……等其他元素，則根據原名的第一音節來創造新的漢字。這個中文命名法廣被接受，一直沿用到現在。

徐壽
1818～1884
清朝科學家

**3** 古人會用味道、觸感試酸鹼，為什麼鹼摸起來會滑滑的呢？

因為，鹼性物質碰到手上分泌的油脂，會形成脂肪酸鹽和甘油（皂

化反應）。像甘油摸起來有點滑膩感，而脂肪酸鹽則跟我們平常用的肥皂一樣，是一種界面活性劑，摸起來也都有滑滑的感覺。

 國中課本介紹了很多酸鹼的性質，我們全要背起來嗎？

在課本中介紹的酸鹼，多半都具有腐蝕性或刺激性。如果能認清它們可能帶來的危險，下次碰到時就可以小心一點，能把它們都記起來也很不錯，不是嗎？

好！
我記下來了。

# LIS影音頻道 ▶

【自然系列—化學 | 酸鹼01】酸鹼的分辨─拉瓦節的酸鹼變色大作戰（上）

雖然波以耳發明的石蕊試紙，能方便簡易地分辨酸鹼，但令拉瓦節更困惑的是──讓物質呈現酸鹼性的物質究竟是什麼呢？

【自然系列—化學 | 酸鹼01】酸鹼的分辨─拉瓦節的酸鹼變色大作戰（下）

拉瓦節的酸鹼之惑終於解開，原來酸除了會腐蝕、且能讓石蕊試紙變紅之外，竟然都存在著氧元素，從此拉瓦節也發展出更完整的基礎化學論……

# 第 8 課

## 原來化學反應可以「逆」

### 拍瑟列

為什麼柏瑟列這麼幸運呢？

人的命運各不同啊！

**前**面三堂課都在講述拉瓦節的豐功偉業，但最後的結局令人唏噓。如果拉瓦節能逃過法國大革命，現代化學的進展，會不會從當時的「快跑」，變成「狂奔」呢？沒有發生過的事，只有天知道，誰也不知道！

但是我們回顧歷史，在同一個時代卻有另一個化學家，讓我們眼睛一亮，因為他的命運恰好可以拿來和拉瓦節對比。他幸運的逃過法國大革命，所以有機會發現重大的化學理論，帶領現代化學突飛猛進。他是克勞德・路易・柏瑟列（Claude Louis Berthollet），1748年出生於法國的科學家，他不但與拉瓦節生在同一個時代，也是一起做研究的好夥伴，還共同寫出了重量級的化學著作——《化學命名法》。

## 共同發表《化學命名法》

事實上，學醫出身的柏瑟列，在與拉瓦節合作之前，就曾經發表過許多研究化學物質的論文。最有名的就是他成功測定出「氨」（$NH_3$），其實是由「氮」（$N$）和「氫」（$H$）所組成的。

這是一項重要的發現。不過，由於當時化學的發展，已經來到運用科學方法與實驗驗證的時代，大量化學物質的組成也一個個被破解開來，所以柏瑟列雖然是聲望不錯的科學家，但在當時，他的發現只是眾多發現中的一件，並不是特別耀眼。

還好，除了做研究與教書之外，柏瑟列也很熱衷於結識各路的科學家，藉此切磋最新的科學想法，這讓他和當時學界的紅人拉瓦節，成為相當投合的研究夥伴。他們不只一起討論化學，還為了解決當時化學界混亂的命名問題，共同擬出一套簡單可行的規則，並與另外兩位作者一起出版《化學命名法》。這本書不但成功的影響了當時的科學界，也讓柏瑟列的學術聲望攀向一個新的高峰。

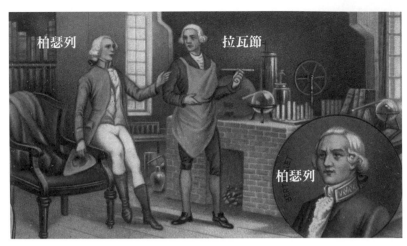

柏瑟列　　　　拉瓦節

柏瑟列

哇，髮型
跟我好像…

但是，就在他們出了《化學命名法》的兩年後，法國大革命爆發了，命運的十字路口就此展開。或許是太過天真，拉瓦節選擇留下來繼續研究心愛的化學，完全沒想到自己會因為曾經當過徵稅官，而在日後被送上斷頭台；相反的，他的好友柏瑟列卻選擇了逃離，一直等到情勢比較穩定的時候，才被後來的政府找回法國，教授與火藥相關的化學課程。

## 加入拿破崙埃及遠征軍科學團

事實上，影響近代歷史極為深遠的法國大革命，所產生的紛亂與動盪不安，持續了整整十年，直到法國最著名的軍事家與政治家——拿破崙（Napoléon　Bonaparte，1769～1821）主政時期，局勢才穩定下來，得到一小段時間的安寧。

1769年生於科西嘉島的拿破崙，天生就是不世出的軍事天才，1789年法國大革命爆發時，他才二十歲，卻屢屢立下輝煌戰功，慢慢成為法國人心中的新英雄。只是，人氣太旺總是容易遭人眼紅，政府的當權者開始擔心這位英雄會想奪權，於是故意把他派往海外，帶領大軍進攻埃及。

1798年，拿破崙遠征埃及時曾命令：「讓驢子和學者走在中間。」雖然這場戰爭最後以失敗作結，二十萬大軍最後也只剩下兩千人，但受到嚴密保護的學者卻一個也沒少，可見拿破崙對科學、文明與文化的重視。

我也要去看鹽湖！♥

　　有趣的是，這位英雄非常熱愛科學。遠征埃及時他除了帶二十萬大軍，還帶了175名專家學者、千百箱的書和研究設備。這些學者成立「埃及研究院」，軍隊打到哪，他們就坐在驢子上跟著調查到哪。

　　學術聲望高、對戰爭所需的砲彈火藥又熟悉的柏瑟列，自然也受邀為隨軍科學團的一員。其實埃及稱得上是柏瑟列的幸運之地，因為如果不是去埃及，他就不會遇上鹹水湖；而不遇上鹹水湖，他就不會發現極為重要的「可逆反應」。

# 埃及鹹水湖的重大發現

**克勞德・路易・柏瑟列**
1748〜1822
法國化學家

雖然柏瑟列加入了埃及遠征軍，但是他跟其他174名各領域的專家一樣，不拿槍，只做研究調查。所以，當他跟著大軍來到開羅附近的鹹水湖時，湖邊的沉積物立刻引起了他的好奇。

鹹水湖就是一般所說的鹽湖，它的鹽分比一般的湖水甚至海水更高，大部分位於乾燥的內陸。不過，雖然這種湖的湖水喝起來非常鹹，但是它的成分跟海水一樣嗎？

答案是肯定的。柏瑟列發現，鹹水湖中的鹽跟海水裡的鹽一樣，成分都是**「氯化鈉」**（NaCl）。但是令人納悶的是，湖水乾掉以後堆在湖邊的沉積物卻是**「碳酸鈉」**（Na$_2$CO$_3$）；（也就是我們俗稱的「蘇打」）。

「怎麼會這樣？」柏瑟列心想，「這些碳酸鈉是哪裡冒出來的？」

正當他百思不得其解的時候，他發現：湖邊除了有碳酸鈉以外，還有許多俗稱「灰石」的**「碳酸鈣」**（CaCO$_3$），而且這些灰石都有被侵蝕過的痕跡。這時候，柏瑟列就像科學辦案的法官一樣，蒐集證物仔細推敲，最後大膽假設：

「如果湖邊的『碳酸鈉』，是湖水裡的『氯化鈉』與灰石中的『碳酸鈣』反應產生的生成物，似乎就可以解釋為何會有這麼多『碳酸鈉』出現在湖邊了！」

$$CaCO_3\downarrow \quad + \quad 2NaCl \quad \rightarrow \quad Na_2CO_3 \quad + \quad CaCl_2$$

碳酸鈣（灰石） ＋ 氯化鈉（鹽巴） → 碳酸鈉（蘇打） ＋ 氯化鈣

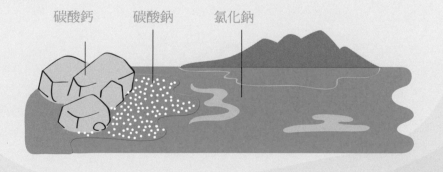

碳酸鈣　　碳酸鈉　　氯化鈉

柏瑟列似乎找到了原因。

「可是……」這個化學式他好像在哪裡見過。

「啊！我想起來了！」柏瑟列靈光一現，「就是以前我研究鹽類反應時做過的實驗，只是生成物和反應物顛倒過來！」

原來，在遠征埃及之前，他曾經記錄過一個化應反應：

$$Na_2CO_3 \text{ 碳酸鈉（蘇打）} + CaCl_2 \text{ 氯化鈣} \rightarrow CaCO_3\downarrow \text{ 碳酸鈣（灰石）} + 2NaCl \text{ 氯化鈉（鹽巴）}$$

過去在科學家的經驗中，蘇打（碳酸鈉）碰上氯化鈣就會自動反應，生成灰石（碳酸鈣）以及鹽巴（氯化鈉）。而且化學家之前一直認為：物質結合的原因是因為有「親和力」，一旦 A 和 B 因為親和力而結合以後，就一生一世不會分開。換句話說，化學反應就像變了心的女朋友一樣，只要一發生變化就不會回頭，化學變化根本不會逆轉。

所以他們認為：

蘇打＋氯化鈣 　○→ 　灰石＋鹽巴

蘇打＋氯化鈣 　←✗ 　灰石＋鹽巴

但是現在事實擺在眼前。過去認為不可能的事，就在柏瑟列眼前發生。他在鹽湖邊明明白白發現到一個可以正著跑，也可以倒著跑的化學反應：

而這樣的反應，就是我們現在在化學課本裡所學到、常以「⇌」雙向箭頭表示的**「可逆反應」**。

柏瑟列的這項重大發現，就像掀開了化學反應的第一層面紗，給當時的科學家一個很大的啟示：**原來A不只能變成B、B也可以變回A。**

至於化學反應在物質轉換的過程中，還有什麼我們不了解的祕密呢？後續的科學家將緊接著一一解開。

你會回心轉意嗎？

看看你的表現，我再來決定「可不可逆」……

這不是化學……

### 發現「濃度」的影響

俗話說：「龍交龍，鳳交鳳。」身為拉瓦節好友的柏瑟列，自然也不是省油的燈。他和拉瓦節一樣，有著洞察實驗細節的良好能力，除了發現可逆反應，他更在調查鹽湖的過程中，發現了**「濃度」**對化學反應的影響。

別以為「濃度」大家都知道，沒什麼好厲害的。前面我們已經說過好幾次，不能用現代的眼光去看以前的化學發展。

想像一下，如果派古代的化學家去現代商店買飲料，他們應該會搞不清楚什麼是「全糖、半糖、微糖……」因為以前的人根本不曉得「濃度」是什麼樣的概念。

全糖、半糖、微糖……到底差在哪？！

但柏瑟列卻注意到，只要**「化學質量」**夠大，大部分的**「生成物」**是能變回**「反應物」**的。而他所說的**「化學質量」**，就很接近今日的**「濃度」**概念，這是因為當時的科學界還不認識濃度，所以柏瑟列才會發明**「化學質量」**這個名詞。

化學實驗中的「正反應」，像是「蘇打＋氯化鈣→灰石＋鹽巴」，平常在實驗室裡很容易發生，但是「逆反應」卻極難被觀察到，這是因為實驗室裡不像鹽湖有這麼多的鹽巴，也不像湖邊有一大堆灰石，「化學質量」不夠大，所以才不容易出現明顯的逆反應。

柏瑟列將他這一連串的發現，寫進《化學靜力學》一書中。這本書在1803年出版。不過由於當時的人對濃度都還沒有完整的概念，一開始並沒有引起太大的轟動，直到將近一百年後，柏瑟列的可逆反應才在科學世界大放異彩。現在看來，這位遠征埃及的化學家可說是相當有前瞻性呢！

 **快問快答** ||||||||||||||||||||||||||||||||||||||||||||||||||||||||

**1** 世界上所有的物質反應，都是「可逆反應」嗎？

只能說很大部分都是**「可逆反應」**，但在某些反應中，逆反應的速率遠遠小於正反應，小到幾乎可以被忽略，就會被當成是**「不可逆反應」**了。

有些情況則是當反應發生時，生成物會變成氣體散失在空氣中，例如：

$$CaCO_3 + 2HCl \rightarrow CaCl_2 + H_2O + CO_2\uparrow$$
（碳酸鈣）+（氯化氫）→（氯化鈣）+（水）+（二氧化碳）

這個反應產生的**二氧化碳**會不斷飄向空中，所以逆反應無法發生，當然就變成**「不可逆反應」**囉！

木炭燃燒的過程就是不可逆的喔。

**2** 在日常生活中，哪些地方可以觀察到可逆反應呢？

日常生活中的可逆反應非常多。比方說，當我們在水裡加很多鹽（氯化鈉）時，鹽一方面會溶解在水裡，解離成鈉離子和氯離子；另一方面，鈉離子和氯離子又會結合成氯化鈉：

$$\text{NaCl （氧化鈉）} \rightleftharpoons \text{Na}^+ \text{（鈉離子）} + \text{Cl}^- \text{（氯化鈉）}$$

事實上，就連我們看到一杯靜止的水，也正在悄悄的進行可逆反應。杯中的水一部分正在解離成氫離子和氫氧根離子，但同時，氫離子和氫氧根離子也在結合成水

$$\text{H}_2\text{O （水）} \rightleftharpoons \text{H}^+ \text{（氫離子）} + \text{OH}^- \text{（氫氧根離子）}$$

其實水或食鹽水的正反應和逆反應都一直在進行著，只是兩者速率達到一定的平衡，所以看起來才沒有什麼變化，這就是所謂的「**動態平衡**」喔。

**3** 拿破崙這麼喜歡科學，為什麼不當科學家呢？

其實，拿破崙在就讀軍校時，就熱情而認真的鑽研過數學、物理、化學、地質等科學了，後來才能把科學知識活用在戰爭上。雖然拿破崙沒有選擇當科學家，但他主政時卻是科學成就最豐富的時代，這也算是拿破崙對科學和這個世界的貢獻吧！

## LIS影音頻道 ▶

【自然系列─化學 | 化學反應01】可逆反應─遠征埃及大發現（上）
貝托萊（即柏瑟列）是十八世紀研究化學反應的專家，這次他跟著拿破崙一起去埃及出征，結果兩個人在湖邊竟然發現了化學反應原來可以逆向出現……

【自然系列─化學 | 化學反應01】可逆反應─遠征埃及大發現（下）
化學反應，到底可不可以逆呢？真相就在反覆驗證中……

# 第 9 課

# 蛙腿裡的動物電

## 賈法尼

**時**間從古老又迷信的煉金術，經過科學萌芽的十七世紀，再往前推進到了十八世紀，此時人類的化學發展正呈現一片希望無限、前景大好的態勢。

另一方面，當化學的研究方法漸漸科學化、研究工具愈來愈進步，投入化學研究的人勢必變多，分工也會比以前更加細緻；很多不同類型的研究，就像樹長大了勢必會分枝一樣，開始竄出芽，在世界的不同角落同時進行。因此，就在拉瓦節提出轟轟烈烈的燃燒理論、柏瑟列發現可逆反應的同一時期，世界上有另一股新的化學潮流──「電化學」，正在悄悄興起。

換句話說，以前的化學家總是在玩「火」，而現在有一群化學家準備開始玩「電」。也因此，化學在十九世紀來臨時，即將從「火」的時代，進入「電」的時代。

不過有趣的是，一開始催生電化學的人並不是化學家，而是一位解剖學家，他陰錯陽差的發現了「動物電」。但是動物身上的電跟化學有關係嗎？電化學又是怎麼發展出來的呢？

別急別急，有趣的事總是值得耐心等待，就讓我們先從人類對「電」的發現慢慢說起。

有沒有看到我的眼睛裡在「放電」？

拜託，我只看到鬥雞眼啦！

你們別吵了，一起來聽電的故事吧⋯⋯

### 電學的起源

電啊電，現代人的生活離不開電。不過，雖然電一直存在大自然裡，但人類真正能使用電，其實只有短短兩百多年的時間。

一開始，人類是從打雷閃電的自然現象觀察到「電」。但是，天打雷劈的現象太嚇人，不是人畜活生生被劈死、就是引發熊熊大火。所以原始人類大多對雷電充滿畏懼，常把打雷閃電看成神的怒火，想像它是上天降下的懲罰或報應，很少有人會特別研究。

但隨著時間過去，古人在日常生活中也漸漸發現一些比較溫和的靜電現象。比方說，用骨頭做的梳子梳頭髮時，會發出劈哩叭拉的聲音；用布或獸皮磨擦琥珀後，可以吸起碎紙、穀殼或草屑……不說你們不知道，現代英文裡「電」——electric這個字，在最早以前就是「琥珀」的意思。

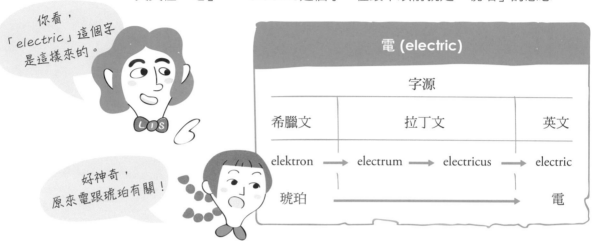

你看，「electric」這個字是這樣來的。

好神奇，原來電跟琥珀有關！

| 電 (electric) | | |
| --- | --- | --- |
| 字源 | | |
| 希臘文 | 拉丁文 | 英文 |
| elektron → | electrum → electricus → | electric |
| 琥珀 | | 電 |

就這樣，在接下來的一、兩千年漫漫歲月裡，人類對電的理解，就這麼一直停在這裡，沒有太大的進展。這個原因在於人們一直沒有能力收集電，當然就很難研究它，也幾乎不可能用電來做些什麼事。用布擦擦琥珀這種摩擦生電的靜電現象，除了偶爾可以拿出來當做魔術玩一玩、騙騙小孩之外，幾乎沒有什麼實用價值。

直到1663年，德國人奧托・馮・格里克（Otto von Guericke）發明了「摩擦起電機」，科學家開始能「自己製造電」，關於電的科學研究才可以正式展開。

**奧托・馮・格里克**

1602～1686

德國物理學家

**摩擦起電機的原理**

格里克

格里克把硫磺粉碎、熔化，灌進玻璃球，中間插一根木棒作為轉軸，等硫磺冷卻後，再把玻璃敲掉，成為一顆「硫磺球」。當硫磺球快速轉動時，只要用布或手摩擦它，就能產生電的火花。

**電學研究的重要進展**

　　雖然以現代的眼光看起來，這種起電機看起來有點像玩具，但在當時卻有著劃時代的意義。因為這是人類第一次可以自行製造比較大量的靜電。當電開始可以被製造、收集，就代表科學家終於有「電」可以玩。也因此，在摩擦起電機發明後的一百年內，人們對電的研究就開始有了顯著的成果。

| 電學家的進展 |
| --- |

**史蒂芬・格雷**（Stephen Gray）

1666～1736

英國天文學家

發現金屬能導電，絲綢不能導電，
區分出「導體」和「非導體」的概念。

| | |
|---|---|
| **查爾斯・杜費**<br>（Charles François de Cisternay du Fay）<br>1698～1739<br>法國化學家 |  |
| 發現電有分兩種，一種是「玻璃電」、一種是「松香電」。同種電會相斥、異種電會相吸。 | |

| | |
|---|---|
|  | **班傑明・富蘭克林**（Benjamin Franklin）<br>1706～1790<br>美國科學家、政治家 |
| | 把「玻璃電」、「松香電」重新定名為正電和負電，確定電有極性。 |

| | |
|---|---|
| **彼德・馬森布羅克**<br>（Pieter van Musschenbroek）<br>1692～1761<br>荷蘭科學家 |  |
| 發明「萊頓瓶」，人類終於可以儲存電力。 | |

　　猜猜看，其中受到最多歡呼和掌聲的是誰？噹嘟！當然是發明「萊頓瓶」的荷蘭科學家彼德・馬森布羅克。這是因為長久以來，人類只懂得摩擦生電，卻沒有辦法把電儲存起來。萊頓瓶可以儲存大量的靜電，而且因為電量夠大，從此電學實驗能玩的把戲……呃不不……研究就變多了，所以凡是從事電學研究的，必定人手一瓶（或N瓶）。

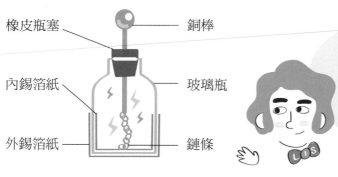

**萊頓瓶**

橡皮瓶塞 ——— 銅棒

內錫箔紙 ——— 玻璃瓶

外錫箔紙 ——— 鏈條

萊頓瓶的充電方式，是把球形電極接上靜電產生器，外層錫箔則接地，此時瓶子內、外部的金屬，就會攜帶相等但極性相反的電荷，電也因此能被存進瓶子裡。

科學家們不但拿萊頓瓶來做實驗，有時候還拿它來娛樂大眾。例如，拿萊頓瓶現場電死老母雞，或使紙片跳舞；甚至還曾讓幾百個修士手牽手排成一排，然後由最後一位手摸萊頓瓶——此時平常正經八百的修士們，就會一起跳起來，令人目瞪口呆。

天啊，我們都被電到了！

上圖的情景的確很有趣不是嗎？喜歡新奇又好玩的事物是人類的天性，所以當時很多科學家都受到「電」這種新玩意兒吸引，情不自禁投入電的研究。接下來我們要談到的這位無意間催生電化學的解剖學家——賈法尼（Luigi Aloisio Galvani，另譯賈伐尼），也是這樣轉行的。

# 青蛙腿
# 顯靈風波

**路易吉・賈法尼**
1737～1798
義大利醫生、解剖生理學家

1737年，身為金匠之子的賈法尼，出生在義大利的波隆那。二十二歲那一年，他取得醫學學位，隨後進入大學教授人體解剖學，並受聘成為「終身解剖學家」。

當時，歐洲正流行用萊頓瓶放電為病人「電療」，年輕的賈法尼對「電」也產生出興趣，經常在實驗室裡用萊頓瓶和起電機進行各種「醫用電學」的實驗。那時所謂的醫用電學，是一門研究「放電與肌肉收縮」的學問，簡單來說，就是研究生物被電之後會有什麼反應。

1780年某一天，一如往常在實驗室認真工作的賈法尼，正在和他的學生一起解剖幾隻青蛙。不過，當學生用手術刀觸碰青蛙小腿外露的神

經時，青蛙腿突然劇烈抽搐起來，嚇壞實驗室裡所有的人！同一時間，另一個學生正在蛙腿旁使用起電機，也突然噴出電火花。

「這個場景難道是死去的青蛙『顯靈』？」身為科學家的賈法尼，當然不會這麼想，反倒思考：「蛙腿抽搐跟電火花一起發生，這到底是巧合？還是有什麼連帶關係？」對電學和解剖學都有鑽研的賈法尼，馬上開始著手研究。

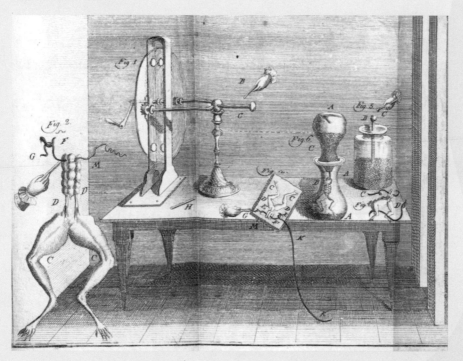

{ 十八世紀賈法尼進行蛙腿放電實驗的設備。 }

首先，賈法尼假設如果蛙腿抽動跟電有關，會不會是附近的電源造成的呢？於是，賈法尼用刀尖接觸蛙腿，接著用起電機製造電火花。奇怪的是，這次再怎麼放電，蛙腿都不會痙攣。

「原來，蛙腿跳動跟起電機無關。事實證明，兩件事只是剛好同時發生罷了。」

接著賈法尼想，會不會是因為實驗當天大氣裡的電引發蛙腿抽動呢？為了驗證這個想法，他用銅鉤把蛙腿掛在花園的鐵欄杆上，結果發現，不管晴天、雨天或暴風雨來臨前，蛙腿都一樣跳個不停。所以，蛙腿的跳動跟大氣有沒有電應該沒有關係。

賈法尼繼續尋找答案。他發現，如果把蛙腿放在金屬盤上，再用鐵絲的一端戳進小腿，另一端與金屬盤接觸，蛙腿就會不停的抽動。

但是，如果把金屬盤換成玻璃，鐵絲換成玻璃棒，蛙腿就不會抽動。而且，如果用兩種不同的金屬，像是銅和鐵或銅和銀接在一起，然後兩端分別接觸青蛙時，蛙腿又會痙攣抽動。

「電源該不會是來自青蛙的神經吧？」他想：「或許是青蛙的神經會發電，這些電像流體一樣，沿著金屬在青蛙的脊椎和小腿神經之間流動，才刺激青蛙的肌肉產生抽動。」於是，賈法尼提出了**「動物電」**理論，電的研究從此也進入了另一個里程碑。

我找到答案了！我要這種動物發出的電，命名為『動物電』！

**賈法尼**

**動物本身就有電？**

　　就這樣，賈法尼把青蛙神經看成電源，認為動物的身體會發出特殊的電力——「動物電」。不過，他並沒有急著發表自己的發現。而是做了更多的實驗來驗證自己的想法，直到1791年才在《論肌肉運動中的電力》發表以下內容：

　　「我用不導電或不太導電的物質，像是玻璃、橡皮、樹脂等等進行測試，結果蛙腿都不會產生抽動……我認為這應是因為動物本身就有電，所以當痙攣現象發生時，神經中的電會經由導體流到肌肉中，就像萊頓瓶的放電現象一樣。」

　　動物本身就有電？你們覺得可能嗎？現在想起來覺得不可思議，但當時很多科學家不但覺得可能，甚至還認為動物電說不定就是人的靈魂。

　　賈法尼的「動物電」理論公開以後，等在後面的是一場將近十年的「蛙腿戰爭」，支持者與反對者不斷的提出證據，隔空交戰。但先不管這場科學論戰的結果如何，賈法尼向世人揭示的**「賈法尼電流」**，後續已發展成一整門的**「電生理學」**。直到現在，電生理學還是神經醫學、復建醫學等醫學領域的重要基礎。

　　無庸置疑，人稱「電生理學之父」的賈法尼，是世界上研究生物電的先驅。至於他與電化學之間的關係呢？等我們下堂課介紹他的主要對手——亞歷山卓・朱塞佩・安東尼奧・安納塔西歐・伏打（Count Alessandro Giuseppe Antonio Anastasio Volta），你們就會明白了。

亞歷山卓・朱塞佩……這個人名字怎麼這麼長呀！

哈哈，他的姓最重要，你記「伏打」兩字就夠啦！

 **快問快答** ‖‖‖‖‖‖‖‖‖‖‖‖‖‖‖‖‖‖‖‖‖‖‖‖‖‖‖‖‖‖‖‖‖‖‖‖‖‖‖‖‖‖‖

**1** 這一課有提到「電」和「靜電」，兩者到底有什麼不一樣？

靜電也是電。但是，**靜電是指靜止不流動的電**。當我們用毛皮摩擦琥珀，或用梳子梳長髮時，經常會產生靜電；除非被其他東西移走，不然靜電會靜靜的停留在物體上。而我們**平常使用的電，是「會流動的電」**，也就是「電流」。

**2** 為什麼有些東西能導電？有些卻不能呢？

能否**導電的關鍵，在於那樣東西在一般情況下能不能讓電流通過**。例如，金屬的表面具有許多自由電子，可以朝同一個方向移動，形成電流；而水溶液則是有很多陰離子、陽離子，透過陰陽離子的移動，也可以產生電流。

## LIS影音頻道 ▶

**【自然系列—化學 I 電化學01】賈法尼的動物電—蛙腿戰爭I（上）**

在某個陰暗的夜晚，當生物學家賈法尼在解剖死去的青蛙時，蛙腿竟然動了起來！難道是傳說中的神祕力量讓靈魂再現？

**【自然系列—化學 I 電化學01】賈法尼的動物電—蛙腿戰爭I（下）**

賈法尼公開發表「動物電」理論後，引起了眾多科學家熱議，最後才因為科學家伏打的一項發現而有了重大轉折……

# 第 10 課

## 電池誕生

### 伏打

我也要試試看動物電實驗！

救命啊，別接近我們！

賈法尼讓蛙腿跳動的消息公開以後，立刻在科學世界引爆一股研究熱潮。這群科學家中，有些人是真的想瞭解什麼是「動物電」，有些人是想尋找更多電的線索，但有些人卻是異想天開，想試試看能不能發現讓動物「起死回生」的天大祕密。

所以很快的，各種不同的小動物，像是牛、羊、雞、狗、兔子……都被科學家們抓來做實驗。而這些為科學獻身的可憐小動物，也沒讓大家失望，因為大家發現，這些動物全都出現了跟蛙腿一樣的抽搐、抖動現象，所以「動物電」的理論受到很多人的支持，賈法尼也得到眾人的崇拜和稱讚。

不過，科學就是這樣，一個理論丟出來，看起來完美華麗，但終究還是得通過一關又一關的檢驗，確認沒有錯誤、沒有瑕疵之後，才能受到大家的信服。

也因此，賈法尼才提出「動物電」的理論沒多久，電學家伏打就對它提出質疑。

### 伏打的金屬電實驗

當時，伏打已經是一位有名的電學專家，而且還是研究電壓和儲存電力的先驅。

早在1775年，他發明「起電盤」——一種可以獲得靜電的簡單裝置，之後就聲名大噪。所以，當伏打一聽到賈法尼的理論後，馬上動手把蛙腿的實驗重做一遍。剛開始，他非常贊同賈法尼，認為動物電是物理、化學、解剖學界的劃時代發現！

不過，就像同樣吃燒餅油條，有人注重燒餅，有人注重油條一樣。或許賈法尼是解剖學家，注意力大多只放在神經和肌肉上面；但是伏打不一樣，身為物理學家，他的注意力反而集中在用來做實驗的「金屬」上面。

CH 10

為什麼非要用兩種不同的金屬，才能讓蛙腿成功跳動呢？

金屬A

金屬B

原來，伏打遇上了跟當初的賈法尼相同的狀況——當鉤子和金屬盤用一種金屬，不會產生任何效果，只有這兩者分別用不同的金屬，才能成功使蛙腿跳動。這種奇怪的差異引起了伏打的好奇，而且伏打不像賈法尼直接忽略這個現象，而是開始思考：「如果一定要用兩種不同的金屬才會有電，那麼電源會不會是來自於金屬呢？」

為了證明自己的想法，伏打設計了一連串的實驗。

他用很多種不同的金屬，兩兩配成一對，然後用靈敏的金箔驗電器來判斷電力。結果發現：不管是鋅、銅、錫或任何金屬，只要和不同的金屬一起接觸青蛙的脊椎骨，就會產生電。而且，他還仔細記下每種金屬起電的狀況，並幫這些測過的金屬排序：

| 1 | 2 | 3 | 4 | 5 | 6 | 7 | 8 |
| 鋅 | 鉛 | 錫 | 鐵 | 銅 | 銀 | 金 | 石墨 |

從這些金屬裡，隨便挑兩種金屬出來配對，排在前面的金屬會帶「正」電，後面的金屬則會帶「負」電。而且，**不同的金屬間不一定需要蛙腿，就算是用一塊沾了鹽水的布，也照樣會產生電。**

哇，這麼強而有力的事實擺在眼前。這下，伏打應該可以推翻「動物電」吧！這就是伏打提出來的**「金屬電」**理論。

### 蛙腿戰爭初期：動物電占上風

1793年，伏打在《最新物理通訊》中用「金屬電」理論，反駁了賈法尼提出的「動物電」。他認為蛙腿的跳動不是因為「神經」會產生電，相反的，是「金屬」產生電，再流經青蛙的神經，才造成蛙腿抽動的現象。換句話說，動物電認為神經是電源、金屬是導體；而金屬電則相反，金屬才是電源，蛙腿和神經都不過是導體罷了。

跟賈法尼比起來，伏打的理論算是相當嚴謹。只是他的發現不是很容易觀察。因為相較於萊頓瓶產生的電火花聲光效果，一、兩組金屬片能夠產生的電流，實在太微弱。另一方面，「動物電」能讓死去的動物彈起來，看起來好像比較「厲害」，自然也比較有說服力。

所以伏打接下來的當務之急，就是做出一種電力夠強，但是只用金屬、不需要動物的發電裝置，這樣就能讓動物電的支持者無話可說。

但是科學這回事兒，急也急不來。就在伏打在實驗室裡，埋頭練功的同時，支持動物電的人馬更是沒有閒著，他們帶著各種動物，四處宣揚動物電的理論，所到之處就像馬戲團表演一樣，好不熱鬧。其中，最有名的就是賈法尼的外甥喬凡尼·阿爾蒂尼（Giovanni Aldini，1762～1834）。因為賈法尼的身體欠佳，阿爾蒂尼就成了叔叔的代言人。瞧瞧下面兩張圖片：

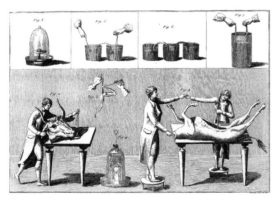

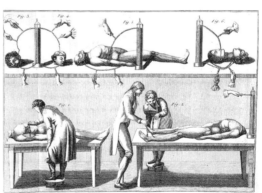

是不是很驚悚啊！這些圖片記錄的正是當時阿爾蒂尼公開展示的動物實驗。想像一下牛、羊、狗甚至死人的頭，受到電擊時突然眼睛瞪大、嘴巴張開，是不是比觀察金屬片間的微弱電流熱鬧不只一百倍？所以啊，動物電這一派人氣很旺，聲勢也一直比金屬電高。

直到1800年，伏打研發的發電裝置終於成功，蛙腿戰爭的局勢才急轉直下，並在十九世紀的第一年劃下句點。

圖為阿爾蒂尼為群眾展示的動物電實驗，舉凡各種動物屍體甚至死人的頭，都能拿來做實驗！

# 鋅片銅片 疊疊樂

亞歷山卓・朱塞佩・
安東尼奧・安納塔西歐・伏打
1745～1827
義大利化學家

蛙腿抖動，究竟是因為「動物電」？還是「金屬電」？其實早在賈法尼之前，就有人有過類似的經驗。

1752年，瑞士電學家薩爾哲（Johann Georg Sulzer，1720～1779）在柏林發表一項發現：當他用兩片不同的金屬夾住舌頭時，舌尖會感覺到「酸」味。而這個奇異的感覺，其實就是兩片金屬夾住舌頭後，產生微弱的電流所造成的，只是當時的薩爾哲跟科學家們，都沒想到這件事情跟電有關。

伏打

苦！

我看到白光了！

　　而伏打也跟薩爾哲一樣，以「神農試百『電』」的精神做實驗。例如，他會用舌頭同時舔著金幣和銀幣，然後用金屬線連接兩個錢幣，嘴巴就瞬間感覺有「苦」味。

　　接著，他又把一根用兩種不同的金屬接起來的彎桿，一端放嘴裡，另一端接觸眼皮上方，結果在接觸的一剎那間，眼睛彷彿看到瞬間的閃光。

　　這些實驗的結果，都讓他愈來愈相信：不同的金屬之間可能會產生「金屬電」，根本不需要藉蛙腿或任何動物產生「動物電」。所以，如果他的推論沒錯的話，他應該可以創造出一個只用兩種金屬和導電材料，就可以產生電力的裝置。

　　於是從1794年開始，他就在實驗室裡埋頭研究。

　　首先，他發現在兩種不同的金屬裡面，夾著用鹽水浸溼的紙或麻布，並用金屬線互相連接，這種「金屬對」之間就會產生微弱的電流。

銅片
溼鹽布
鋅片
金屬線
電流

「一對金屬就能產生電流，那麼兩對金屬呢？三對？或更多呢？」他心想。於是伏打開始像玩疊疊樂一樣，把一對對圓形的鋅片和銅片疊起來，而且愈加愈多，加到40～60對！

太棒了！
金屬片的對數愈多，
電力就愈強！

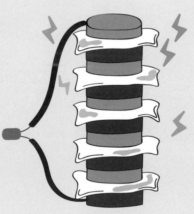

第一座伏打電堆的樣貌。

他還發現，如果把銅片換成銀或金，電力會更強，但是這樣成本太高，畢竟金或銀的價格比起銅片貴上許多。

就這樣，這一疊疊用金屬片堆疊起來的電力裝置，被稱為「伏打電堆」或「伏打堆」。1800年，伏打正式公開他的研究結果，結果新奇的伏打堆立刻轟動了全歐洲！

「哇，這伏打堆厲害！可以一直不斷的發出電啊！」

「沒錯！萊頓瓶放電一次後就得充電，神奇的伏打堆卻不用，實在太厲害了！」科學家們紛紛為伏打的新裝置著迷不已。

伏打還發明了另外一種名為「杯冕」的電力裝置——他裝了數杯鹽水，再把金屬電極連接起來，兩端各自放入不同的鹽水杯中（如下圖），就能順利通電。只不過，相較於伏打堆，這個裝置顯得比較麻煩，不夠實用，所以後世也沒有人拿它來做其他的應用。

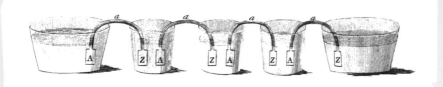

{ 伏打發明的「杯冕」電力裝置

為了紀念伏打，人們把伏打堆稱為「伏打電池」（Voltaic cell）。可是伏打卻謙虛的認為，如果不是賈法尼的動物電啟發了他，這項新發明也不會誕生；所以為了感謝賈法尼，他希望稱它為「賈法尼電池」（Galvanic cell）。

而這就是人類歷史上，出現的第一個「電池」。

接下來，你猜怎麼著？呵呵，沒錯，有了能夠穩定產生電力的電池，科學家們彷彿又有了新玩具，能夠更充分的研究電流產生的各種效應。原本難以觀察到的許多電學現象，也都在電池出現以後，開始在人們面前顯現。

而有這麼好玩的玩具，想想看，其他領域的科學家們，會不會想到要拿來自己的領域試試看呢？當然會！化學家也不例外。所以接下來，伏打電池就這麼打開了**「電化學」**的大門。此時剛好是進入十九世紀的第一年，人類的化學已從「火」的時代，正式宣告進入了「電」的時代！

 **快問快答**

**1** 為什麼伏打發明電池時，要在兩種不同的金屬之間，夾著用鹽水浸溼的紙或麻布呢？

因為鹽水裡不只有水，還有許多帶正電的陽離子和帶負電的陰離子，所以鹽水布可以依靠陰、陽離子的移動，幫忙把金屬片的電傳到下一片金屬片去。但是鹽水布的水很容易乾掉，當陰陽離子移動困難，電力就會減弱，所以伏打後來才會發明改良版，用裝著鹽水的杯子取代鹽水布。

**2** 我們現在使用的乾電池，也跟伏打電池的原理一樣嗎？

乾電池的確是從伏打電池慢慢改良而來的，只不過我們的現代技術大大提升，不再需要一大串金屬片和溼答答的鹽水布，所以稱為「乾」電池。
從下圖可以看到，現代的乾電池正極是**「碳棒」**，負極則是包在在外殼底下的**「鋅筒」**，　而在碳和鋅之間取代鹽水布的，則是**氯化銨**、**二氧化錳**和**石墨粉**等組成的**糊狀物**。不過在乾電池裡，碳棒其實沒有參與反應，它的功能是用來導電的，真正與鋅筒發生作用的是糊狀物裡的二氧化錳喔！

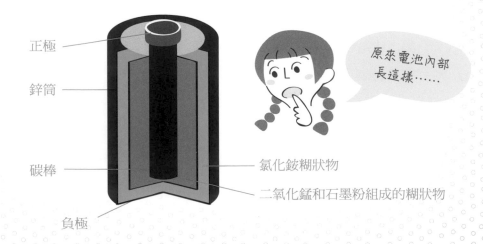

正極

鋅筒

碳棒

負極

氯化銨糊狀物

二氧化錳和石墨粉組成的糊狀物

原來電池內部長這樣……

**3** 伏打電池看起來構造簡單。我可以自己動手做嗎？

當然可以囉，你只需要準備許多一元銅板、鋁箔、紙板，再以銅板、紙、鋁箔、銅板、紙、鋁箔……的順序反覆做出電堆，再澆溼銅板和鋁箔之間的紙板之後，銅板就會變成正極，鋁箔則變成負極，就能成功做出電池了。

請看ＬＩＳ的「一塊錢電池充手機」影片，有詳細的作法介紹喔！

QR CODE

---

# LIS影音頻道 ▶

【自然系列—化學｜電化學02】伏打堆與金屬電—蛙腿戰爭II 伏打篇（上）
伏打對會跳動的蛙腿提出了全新解釋，那就是所謂的「金屬電」。
不過，金屬電的發現就代表動物電不存在嗎？

【自然系列—化學｜電化學02】伏打堆與金屬電—蛙腿戰爭II 伏打篇（下）
1794年，伏打再次成功利用不同金屬片隔著鹽水布，製成電力強又穩定的電力裝置—伏打電池，也引領後續科學界一波又一波的重大發現……

# 附錄

## 本套書與十二年國民基本教育自然領域課綱學習內容對應表

　　化學是一門研究物質的性質、組成、結構、乃至變化規律的基礎科學，更連結了物理、數學、生命科學，以及醫學等許多跨領域的科學研究。本套書主要介紹化學理論的演進脈絡，還有眾多科學家不畏艱難、前仆後繼探究真理的研究歷程，特別適合國小高年級及國中年段的孩子閱讀，亦可與學校的課程相互配搭，必可獲得前所未有的學習樂趣。

### 國民小學教育階段高年級（5-6年級）

| 課綱主題 | 跨科概念 | 能力指標編碼及主要內容 | 對應內容 |
|---|---|---|---|
| 自然界的組成與特性 | 物質與能量 （INa） | INa-III-1 物質是由微小的粒子所組成，而且粒子不斷的運動 | 下冊<br>道耳頓原子說：P29～40<br>湯姆森發現電子：P117～124<br>拉塞福原子模型：P125～143 |
| | | INa-III-2　物質各有不同性質，有些性質會隨溫度而改變 | 上冊<br>人類學會用火：P18～20<br>煉金術：P29～42<br>燃燒現象：P55～66 |
| | | INa-III-3 混合物是由不同的物質所混合，物質混合前後重量不會改變，性質可能會改變 | 上冊<br>質量守恆：P81～94 |
| | | INa-III-4 空氣由各種不同氣體所組成，空氣具有熱脹冷縮的性質。氣體無一定的形狀與體積 | 上冊<br>發現氧氣：P67～P80 |
| | | INa-III-5 不同種類的能源與不同形態的能量可以相互轉換，但總量不變 | 上冊<br>質量守恆：P81～94 |

| 課綱主題 | 跨科概念 | 能力指標編碼及主要內容 | 對應內容 |
|---|---|---|---|
| | | INa-III-6 能量可藉由電流傳遞、轉換而後為人類所應用。利用電池等設備可以儲存電能再轉換成其他能量 | 上冊<br>電學研究：P121～127<br>電池誕生：P133～143 |
| | 構造與功能<br>（INb） | Nb-III-1 物質有不同的構造與功用 | 上冊<br>煉金術：P29～42<br>古典元素理論：P50～60 |
| | | INb-III-2 應用性質的不同可分離物質或鑑別物質 | 上冊<br>燃燒鑽石實驗：P87～P89 |
| | 系統與尺度<br>（INc） | INc-III-3 本量與改變量不同，由兩者的比例可評估變化的程度 | 上冊<br>拉瓦節「定量」實驗：P84～89<br>濃度會影響實驗結果：P118<br>下冊<br>反應平衡：P67～78 |
| | | INc-III-4 對相同事物做多次測量，其結果間可能有差異，差異越大表示測量越不精確 | 上冊<br>扳倒燃素說的化學革命：P75～78 |
| | 改變與穩定<br>（INd） | INd-III-1 自然界中存在著各種的穩定狀態；當有新的外加因素時，可能造成改變，再達到新的穩定狀態 | 上冊<br>濃度會影響實驗結果：P118<br>下冊<br>反應平衡：P67～78 |
| 自然界的現象、規律與作用 | | INd-III-2 人類可以控制各種因素來影響物質或自然現象的改變，改變前後的差異可以被觀察，改變的快慢可以被測量與了解 | 上冊<br>拉瓦節「定量」實驗：P84～89<br>濃度會影響實驗結果：P118 |
| | 交互作用<br>（INe） | INe-III-2 物質的形態與性質可因燃燒、生鏽、發酵、酸鹼作用等而改變或形成新物質，這些改變有些會和溫度、水、空氣、光等有關。改變要能發生，常需要具備一些條件 | 上冊<br>人類學會用火：P18～20<br>煉金術：P29～42<br>燃燒與燃素說：P55～66 |
| | | INe-III-3 燃燒是物質與氧劇烈作用的現象，燃燒必須同時具備可燃物、助燃物、並達到燃點等三個要素 | 上冊<br>燃燒與燃素說：P55～66 |
| | | INe-III-4 物質溶解、反應前後總重量不變 | 上冊<br>質量守恆：P81～94 |
| | | INe-III-5 常用酸鹼物質的特性，水溶液的酸鹼性質及其生活上的運用。 | 上冊<br>石蕊試紙：P104<br>拉瓦節的酸鹼實驗：P105<br>下冊<br>電離說與酸鹼：P105～110<br>發明pH值：P111～116 |
| 自然界的永續發展 | 科學與生活<br>（INf） | INf-III-1 世界與本地不同性別科學家的事蹟與貢獻 | 上下兩冊全 |

## 國民中學教育階段（7-9年級）

| 課綱主題 | 跨科概念 | 能力指標編碼及主要內容 | 本書對應內容 |
|---|---|---|---|
| 物質的組成<br>與特性 A | 物質組成與元素的<br>週期性（Aa） | Aa-IV-1 原子模型的發展 | 下冊<br>湯姆森原子模型：P124<br>拉塞福原子模型：P125～128 |
| | | Aa-IV-2 原子量與分子量是原子、<br>分子之間的相對質量 | 下冊<br>原子說：P29～39<br>分子說：P40～54 |
| | | Aa-IV-3 純物質包括元素與化合物 | 上冊<br>古典元素理論：P50～60<br>下冊<br>電解新元素：P23～26<br>元素週期表：P79～90<br>有機化合物：P57、58 |
| | | Aa-IV-4 元素的性質有規律性和<br>週期性 | 下冊<br>元素週期表：P79～90 |
| | | Aa-IV-5 元素與化合物有特定的化<br>學符號表示法 | 上冊<br>拉瓦節化學命名法：P95～103 |
| | 物質的形態、性質<br>與分類（Ab） | Ab-IV-1 物質的粒子模型與物質<br>三態 | 下冊<br>湯普森原子模型：P124<br>拉塞福原子模型：P125～128<br>發現質子：PI31～135<br>發現中子：P135～138<br>發現夸克等其他粒子：PI39 |
| 能量的形態<br>與流動 | 能量的形態與轉換<br>（Ba） | Ba-IV-4 電池是化學能轉變成電能<br>的裝置 | 上冊<br>電學研究：PI21～127<br>電池誕生：PI33～143 |
| 物質的構<br>造與功能<br>（C） | 物質結構與功用<br>（Cb） | Cb-IV-1 分子與原子 | 下冊<br>原子說：P29～39<br>分子說：P40～54 |
| | | Cb-IV-2 元素會因原子排列方式不<br>同而有不同的特性 | 下冊<br>元素週期表：P79～90 |
| | | Cb-IV-3 分子式相同會因原子排列<br>方式不同而形成不同的物質 | 下冊<br>同分異構物：P59～65 |
| 物質的反<br>應、平衡與<br>製造（J） | 物質反應規律<br>（Ja） | Ja-IV-1 化學反應中的質量守恆<br>定律 | 上冊<br>質量守恆：P81～94 |
| | | Ja-IV-3 化學反應中常伴隨沉澱、<br>氣體、顏色與溫度變化等現象 | 上冊<br>可逆反應：PI14～117 |
| | | Ja-IV-4 化學反應的表示法 | 下冊<br>化學反應平衡式：P72～78 |

| 課綱主題 | 跨科概念 | 能力指標編碼及主要內容 | 本書對應內容 |
|---|---|---|---|
| | 水溶液中的變化（Jb） | Jb-IV-1 由水溶液導電的實驗認識電解質與非電解質 | 下冊<br>電離說：P91～104 |
| | | Jb-IV-2 電解質在水溶液中會解離出陰離子和陽離子而導電。 | 下冊<br>電離說：P91～1 |
| | 氧化與還原反應（Jc） | Jc-IV-1 氧化還原的狹義定義：物質得到氧稱為氧化；失去氧稱為還原 | 上冊<br>發現氧氣與氧化理論：P67～80 |
| | | Jc-IV-2 物質燃燒認識氧化 | 上冊<br>燃燒與燃素說：P55～66<br>發現氧氣與氧化理論：P67～80 |
| | | Jc-IV-6 鋅銅電池實驗認識電池原理與廣義的氧化與還原反應 | 上冊<br>電池誕生：P133～143 |
| | | Jc-IV-8 電解水與硫酸銅水溶液實驗認識電解原理 | 下冊<br>電解實驗：P17～28 |
| | 酸鹼反應（Jd） | Jd-IV-2 酸鹼強度與pH值的關係 | 下冊<br>發明pH值：P111～116 |
| | | Jd-IV-3 實驗認識廣用指示劑及pH 計 | 下冊<br>發明pH值：P111～116 |
| | | Jd-IV-4 水溶液中氫離子與氫氧根離子的關係 | 下冊<br>電離說與酸鹼：P105～110<br>發明pH值：P111～116 |
| | 化學反應速率與平衡（Je） | Je-IV-1 實驗認識化學反應速率及影響反應速率的因素：本性、溫度、濃度、接觸面積與催化劑 | 上冊<br>拉瓦節「定量」實驗：P84～89<br>濃度會影響實驗結果：P118～120<br>下冊<br>化學反應平衡式：P72～78 |
| | | Je-IV-2 可逆反應 | 上冊<br>可逆反應：P114～117 |
| | | Je-IV-3 化學平衡及溫度、濃度如何影響化學平衡的因素 | 下冊<br>化學反應平衡式：P72～78 |
| | 有機化合物的製備與反應（Jf） | Jf-IV-1 有機化合物與無機化合物的重要特徵 | 下冊<br>有機化學：P55～66 |
| 科學、科技、社會與人文（M） | 科學發展的歷史（Mb） | Mb-IV-2 科學史上重要發現的過程 | 上下兩冊全 |
| 從原子到宇宙（跨科議題） | 自然界的尺度與單位(Ea)細胞的構造與功能（Da）生物圈的組成(Fc)地球與太空(Fb) | INc-IV-5 原子與分子是組成生命世界與物質世界的微觀尺度 | 下冊<br>原子說：P29～39<br>分子說：P40～54 |

# 名詞索引

依筆畫、注音順序、字數排列

148

 # 圖片來源

**Wikipedia維基百科提供：**

P23、31、34、37、38、39、47、48、49、51、60、61、65、69、70、71、75、84、87、88、89、

92、100、103、106、107、112、113、114、124、126、128、129、137、138

**Shutterstock圖庫提供：**

P20、22、36、50、140

◉◉ 少年知識家

# 科學史上最有梗的20堂化學課上：
# 40部線上影片 讓你秒懂化學

作者｜姚荏富、胡妙芬
繪者｜陳彥伶
總監修｜LIS科學教材研發團隊
責任編輯｜林欣靜
美術設計｜陳彥伶
行銷企劃｜陳雅婷

發 行 人｜殷允芃
創辦人兼執行長｜何琦瑜
總 經 理｜王玉鳳
總 監｜張文婷
副總監｜林欣靜
版權專員｜何晨瑋

出版者｜親子天下股份有限公司
地址｜台北市104建國北路一段96號11樓
電話｜（02）2509-2800　傳真｜（02）2509-2462
網址｜www.parenting.com.tw
讀者服務專線｜（02）2662-0332　週一～週五：09:00~17:30
讀者服務傳真｜（02）2662-6048
客服信箱｜bill@service.cw.com.tw
法律顧問｜瀛睿兩岸暨創新顧問公司
總經銷｜大和圖書有限公司 電話：（02）8990-2588

出版日期｜2019年3月第一版第一次印行
　　　　　2019年4月第一版第三次印行

定價｜380元
書號｜BKKKC113P
ISBN｜978-957-503-362-0（平裝）

訂購服務 ─────────────────────
親子天下 Shopping｜shopping.parenting.com.tw
海外‧大量訂購｜parenting@service.cw.com.tw
書香花園｜台北市建國北路二段6巷11號　電話（02）2506-1635
劃撥帳號｜50331356 親子天下股份有限公司

**國家圖書館出版品預行編目資料**

科學史上最有梗的 20 堂化學課：40 部線上影
片讓你秒懂化學 / 姚荏富,胡妙芬文；陳彥伶
圖. -- 第一版. -- 臺北市：親子天下, 2019.03
上冊； 18.5 x 24.5 公分

ISBN 978-957-503-362-0(上冊：平裝). --
ISBN 978-957-503-363-7(下冊：平裝)
1.化學 2.教學法 3.中小學教育

523.36　　　　　　　　　　　108001319

立即購買 >